# 最最简单的
# 美味家常菜

吕健停◎主编

化学工业出版社

·北京·

《最最简单的美味家常菜》借助了市场中热卖并且读者家中都具备的微波炉、电饭锅、电压力锅和烤箱等这些家用小电器为烹饪时的工具。并且实际操作中用方便利用的纸杯和茶匙为单位来计量，摒弃了一般菜谱所说的"适量"、"少量"或者"3克"等这些让人不好把握的用量。让不会做菜的读者也能很容易掌握调味品的用量。

本书总结出的最简单的烹饪家常菜的方法，让那些想要学习做菜、或者认为做菜非常麻烦的读者有了新的选择。

图书在版编目（CIP）数据

最最简单的美味家常菜／吕健停主编.—北京：化学工业出版社，2011.9
ISBN 978-7-122-11403-7

Ⅰ.最… Ⅱ.吕… Ⅲ.家常菜肴－菜谱 Ⅳ. TS972.12

中国版本图书馆CIP数据核字（2011）第100569号

责任编辑：李 娜 马冰初 装帧设计：水长流文化发展有限公司
责任校对：顾淑云

出版发行：化学工业出版社（北京市东城区青年湖南街 13 号 邮政编码 100011）
印 装：北京外文印务有限公司
710mm×1000mm 1／16 印张7 字数126千字 2011年9月北京第1版第1次印刷

购书咨询：010-64518888（传真：010-64519686） 售后服务：010-64518899
网 址：http://www.cip.com.cn
凡购买本书，如有缺损质量问题，本社销售中心负责调换。

定 价：28.00元

　　《最最简单的美味家常菜》是本人通过几十年的厨师以及烹饪教学工作，总结出的一种最简单的烹饪家常菜的方法，让那些想要学习做菜，或者认为做菜非常麻烦的读者有了可以解决问题的办法。

　　本书用实际操作中方便利用的纸杯和茶匙为单位来计量，摒弃了一般菜谱所说的"适量"、"少量"或者"3克"等这些让人不好把握的用量。让不会做菜的读者也能很容易掌握调味品的用量。之所以是最最简单的方法还因为我们借助了市场中热卖并且读者家中都具备的微波炉、电饭锅、电压力锅和烤箱等这些家用小电器为烹饪时的工具。本人利用这些工具，经过反复的实践，终于研发出这些好吃、好看，方法独特、易做的菜肴。

　　比如用微波炉做"荷包蛋"，不但看着非常圆，而且整个过程只需要1分30秒，对于平日里与时间赛跑的上班族来说，也是轻而易举就能做到的；还有电饭锅做的"五花肉炖鲜蘑"，调味料只放了酱油，连水和油都没有放，既简单，又健康，还不失美味，而且电压力锅做好菜时就自动跳闸了，我们也不用担心火大菜烧糊的现象；烤箱做的烤青鱼；蒸锅做的清蒸白菜等，都是操作简单，味道绝美的菜肴。本书不仅收录了大家平时喜欢的家常菜，还有好喝的健康饮品，应有尽有，您不放回家试试！

作者

2011.6

# 目 录

# art4

## 我爱小烤箱

# art5

## 超简单的微波炉美食

# Part6
## 吕老师的私房美味

注：本书调味品一律采用标准纸杯、茶匙计量

本书使用说明

Part 1

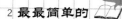

**1 美味制造说明书**

轻轻松松
享受美味

**最大攻效**

低油少盐
无油烟
健康安全
百分百

**最大特点**

微波炉
电饭煲
电压力锅
电烤箱

**适用工具**

## 使用量具

**计量杯（标准纸杯），**
杯口直径7cm，杯底直径5cm，高8cm；
容积260mL。

**计量勺（茶匙），**
勺口长4cm，宽2.5cm，高0.5cm
容积3.3mL。

爱好烹饪人士
懒人
美味爱好者

**适用人群**

## 2 电饭锅使用常识

电饭锅是利用电能转变为热能的炊具，使用方便，清洁卫生，还具有对食品进行蒸、煮、炖、煨等多种操作功能。常见的电饭锅分为保温自动式、定时保温式以及新型的微电脑控制式三类。现在已经成为日常家用电器，电饭锅的发明缩减了很多家庭花费在煮饭上的时间。

(1) 电饭锅的电源插头最好不要接在灯头或台灯的分电插座上。因为一般台灯的电线较细，载流量小，并且容易老化或遇热熔化。而电饭锅的功率较大，电流也大，使用时会使灯线发热，造成触电、起火等事故。

(2) 不要用电饭锅煮太酸或太咸的食物。因为电饭锅内胆是铝制品，用它煮太酸太咸的食品会使内胆受到侵蚀而损坏。另外，煮饭、炖肉时应有人看守，以防汤水等外溢流入电器内，损坏电器元件。

(3) 在使用电饭锅时应轻拿轻放，不要经常磕碰电饭锅。因为电饭锅内胆受碰后容易发生变形，内胆变形后底部与电热板就不能很好吻合，导致煮饭时受热不均，易煮夹生饭。

(4) 使用电饭锅时，注意锅底和发热板之间要有良好的接触，可将内锅左右转动几次。

(5) 饭煮熟后，按键开关会自动弹起，此时不宜马上开锅，一般再焖10分钟左右才能使米饭熟透。

(6) 在清洁过程中，切勿使电气部分和水接触，以防短路和漏电。内锅清洗后，要用干布擦干净，底部不能带水放入壳内。

(7) 使用完电饭锅后，应立即把电源插头拔下，否则，自动保温仍在起作用，既浪费电，也容易烧坏元件。不用时，应放置在干燥和没有腐蚀性气体的地方。

## 3 电压力锅使用常识

电压力锅结合了压力锅和电饭锅的优点，采用弹性压力控制，动态密封，外旋盖、位移可调控电开关等新技术、新结构，全密封烹调、压力连续可调。电压力锅的工作原理使它既节能，又安全（够压力，断电；够温度，断电；够时间，断电）。但购买时一定要认清是正规厂家的产品，因为正规专业厂生产的产品安全措施到位。

(1) 一般说来，2～3人的家庭可选4升，4～6人的家庭可选5升，6人以上的家庭可选6升。

(2) 使用时，首先要认真检查排气孔是否畅通，安全阀座下的孔洞是否被残留的饭粒或其他食物残渣堵塞。若使用过程中被食物堵塞，则应将锅移离火源，强制冷却后，清洁气孔才能继续使用，否则使用中食物会喷出烫伤人。还要检查橡胶密封垫圈是否老化。橡胶密封圈使用一段时间以后很容易老化。老化的胶圈易使压力锅漏气，为此，需要及时更新。

(3) 使用时，锅盖的手柄一定要和锅的手柄完全重合，才可放到炉子上烹制食物，否则会造成爆锅飞盖事故。

(4) 切忌中途开盖。在加热过程中，绝不可中途开盖，免得食物爆出烫人。在未确认冷却之前，不要取下重锤或调压装置，免得喷出食物伤人。应在自然冷却或强制冷却后才能开盖。

(5) 电压力锅不要煮好食物后马上就放气。

由于电压力锅的锅盖上有一套限制开合盖的安全保护装置，所以，当锅内压力没有降低到与环境大气压平衡状态时，锅盖是打不开的。

# 4 家用电烤箱使用常识

简易电烤箱能自动控温，价格较便宜，但烤制时间要由人工控制，适合一般家庭需要。若选择温度、时间和功率都能自控的高级家用电烤箱，不但在使用上方便得多，也更安全可靠。

(1) 一般说来，如果家庭人口少且不经常烤制食品，烤箱可选择功率为500～800W；若家庭人口多，又经常烤制大件食物，烤箱应选择功率为800～1200W。

(2) 使用时要检查电源插头：接线要牢固，接地线是否完好并无接触不良的现象。

(3) 通电试验：先看指示灯是否点亮。变换功率选择开关位置，观察上、下发热元件是否工作正常。

 **5** 微波炉使用常识

　　对很多家庭来说，微波炉是家庭生活的必备之物，特别是节假日期间，更会频繁地使用它。但是，微波炉作为家用电器，如果不能正确操作和使用，也会给家庭带来不必要的麻烦。

(1) 在烹调食物时，最好盖上或覆上一层保鲜膜，因为它可以保持水分，但若要加热100摄氏度以上时不要使用保鲜膜。

(2) 切勿将鸡蛋连壳放入微波炉内烹调，压力会使鸡蛋爆裂，应先将鸡蛋打破并刺破蛋黄。

(3) 对于苹果、马铃薯、鸡肝等食物，一定要刺破其外皮或者薄膜，防止烹调时爆裂。

(4) 体积大而形状较高的食物，如烘烤食物和整鸡，在烹调时应不时翻转，使食物的顶部和底部更均匀烹调。

(5) 切勿空置时操作微波炉，不使用时最好将一杯水放入微波炉内，如果微波炉一旦意外启动，所有微波能量可以被水吸收。

(6) 在微波炉烹调完毕后，切勿立即将转盘放在水中冲洗，否则会导致破裂或损坏。

(7) 密封的瓶装或袋装食品必须开口后才能放在炉内加热，否则气体膨胀会发生爆炸。

选购微波炉时请注意：

(1) 应选购经国家安全认证的微波炉。

(2) 对3～4口家庭的人而言，选择功率在800～1000W的普通转盘式微波炉，无论从价格、容量、供电等方面考虑，都比较适宜。

(3) 从安全方面考虑，应该选择噪声不宜过大的。（可用一台中波收音机调到无台处，放在靠近微波炉炉体的四周，如听不到放电似的噪声，则说明微波屏蔽良好，微波泄漏功率较小）。

# 用电饭锅做
# 美味家常菜

Part
# 2

**第 1 道 五花肉焖鲜蘑**

### 吕老师叮咛

① 鲜蘑遇热易出水，所以做菜时不用加水，半杯酱油就可以了。

② 喜欢辣味的人，锅里还可以放一些辣椒哟。

③ 这是一道非常好吃的傻瓜菜，一看就会，你现在就尝试尝试吧。

**食材：** 五花肉250g、鲜蘑1000g

**调味品：** 鲜味酱油1/3杯（生抽）

### 做菜顺序：

① 把五花肉切厚片放在电饭锅的锅底。

② 鲜蘑要多洗几遍，用手撕片，然后放在五花肉的上面。

③ 把酱油半杯倒入电饭锅里，盖上盖，通上电，调到煮饭挡。（这时你可以忙其他事啦）

④ 电饭锅制动跳闸菜就好了哟。

### 举一反三：

① 锅里如果放一杯酱油，五花肉焖鲜蘑就变成了一道经典的咸菜。

② 如果用金针菇效果也不错哟！

第 **2** 道 # 可乐鸡翅

### 吕老师叮咛

① 鸡翅一定要洗净放入开水锅里烫透，否则鸡翅遇热易出水，影响菜肴的味道。

② 电饭锅制动跳闸后，必须及时用饭勺搅拌鸡翅，因为此时可乐已经浓缩到有煳香状态。如果不及时用饭勺搅拌鸡翅，鸡翅表面就会焦糊，影响菜肴品质。

③ 如果不能及时发现电饭锅制动跳闸怎么办？那么就把电饭锅调到煲粥挡，（这时你可以忙其他事啦）。电饭锅制动跳闸菜就好了哟。

**食材：** 鸡翅1000g、姜30g

**调味品：** 可乐3杯

### 做菜顺序：

① 把姜洗净切片放在电饭锅的锅底。

② 再把鸡翅洗净放入开水锅里烫透（大约1分钟），然后捞出控净鸡翅表面的水，放在电饭锅中的姜片上面。

③ 把3杯可乐倒入电饭锅里，盖上盖，通上电，调到煮饭挡。电饭锅制动跳闸后，及时用饭勺搅拌鸡翅，这样菜就好了哟。

### 举一反三：

鸡翅换成鸡腿就成了可乐鸡腿了，这也是一款很好吃的菜哟。

# 第 **3** 道 简易美味牛肉干

## 吕老师叮咛

① 牛的外脊肉和紫盖肉比较适宜做牛肉干。

② 牛肉干是比较讲究口感的，切条时要顺着牛肉的肉纹路切。制作时的红葡萄酒一定要买最便宜的，因为便宜的红葡萄酒甜，贵的红葡萄酒反而不好。

③ 如果你是一个急性子的人可以在电饭锅跳闸后马上吃牛肉干，其实热的牛肉干更加诱人哟。

④ 外出郊游带点自己做的牛肉干是多么惬意的美事呀！

**食材：** 牛肉1000g

**调味品：** 鲜味酱油1/3杯、水1.5杯、红葡萄酒1/2杯、白糖2茶匙、咖喱2茶匙、辣椒粉2茶匙

**做菜顺序：**

① 把牛肉洗净切条，放入开水锅里烫透（大约1分钟），然后捞出控净表面的水，放在电饭锅里面。

② 把鲜味酱油1/3杯、水1.5杯、红葡萄酒1/2杯、白糖2茶匙、咖喱2茶匙、辣椒粉2茶匙，倒入电饭锅里，盖上盖，通上电，调到煮饭挡。（这时你可以忙其他事啦）。

③ 电饭锅制动跳闸后，把牛肉捞出晾凉，简易美味牛肉干就好了哟。

**举一反三：**

① 这道菜也可以选用猪的臀尖肉，做出来的猪肉干也非常好吃哟！

② 如果没有咖喱可不可以？吕老师告诉你的是：可以哟！

③ 如果你喜欢麻辣味，也可以把咖喱去掉，再放一些花椒粒。

# 第4道 经典红烧肉

**吕老师叮咛**

① 猪五花肉一定要洗净放入开水锅里烫透，否则影响菜肴的味道。

② 可以根据自己的口味喜好，增加或者减少酱油和白糖的数量，达到自己喜欢的口味。

**食材：** 猪五花肉1000g

**调味品：** 鲜味酱油1/3杯、老抽酱油1茶匙、绍酒5茶匙、醋5茶匙、白糖5茶匙、水3杯、大料1个、葱白段适量、姜片适量

**做菜顺序：**

① 先将猪五花肉洗净切方块，放入开水锅里烫透（大约1分钟），捞出控净表面的水，然后放在电饭锅中。

② 把鲜味酱油、老抽酱油、绍酒、醋、白糖、水、大料、葱白段、姜片倒入电饭锅里。

③ 电饭锅盖上盖，通上电，调到煮饭挡。（这时你可以忙其他事啦）。

④ 电饭锅制动跳闸菜就好了哟。

**举一反三：**

① 也可以把五花肉换成臀尖肉，效果也不错哟!

② 如果把五花肉用油炸一下，再放在电饭锅里效果会更好。

第**5**道  酱油菜

**吕老师叮咛**

① 土豆必需要小，所有食材尽量不
要切。

② 这是一道超级简单的小咸菜，非
常适合不会烹调的人们在家里
制作。

**食材：** 小土豆250g、豇豆250g、尖椒250g、香菜250g

**调味品：** 鲜味酱油半杯（生抽）、水1杯

**做菜顺序：**

① 把所有食材洗净，然后放在电饭锅里（放食材没有顺序）。

② 把鲜味酱油、水倒入电饭锅里。

③ 电饭锅盖上盖，通上电，调到煮饭挡。（这时你可以忙其他事啦）。

④ 电饭锅制动跳闸菜就好了哟。

**举一反三：**

① 金针菇、鲜蘑也可以做酱油菜。

② 如果放一点儿猪五花肉片就更好吃了哟!

美味家常菜

第**6**道 小鸡炖蘑菇

### 吕老师叮咛

① 此菜是东北家喻户晓的地方菜，近些年已经传遍我国的大江南北。用电饭锅做这道菜简单易学，还能保留原有的风味。

② 一定要把鸡腿肉放入开水锅里烫透，否则影响菜肴的味道。

③ 蘑菇必须要经过认真摘洗，才能确保菜肴质量。

**食材**：鸡腿肉500g、水发蘑菇200g

**调味品**：鲜味酱油1/4杯、老抽酱油1茶匙、白糖1茶匙、精盐1/5茶匙、水3杯、大料1个、葱白段适量、姜片适量

**做菜顺序**：

① 把鸡腿肉切块洗净、放入开水锅里烫透（大约1分钟），捞出控净表面的水，然后放在电饭锅中。

② 水发蘑菇去根洗净放在电饭锅里。

③ 把鲜味酱油、老抽酱油、白糖、精盐、水、大料、葱白段、姜片都倒在电饭锅里。电饭锅盖上盖，通上电，调到煲粥／汤挡。（这时你可以忙其他事啦）。

④ 电饭锅制动跳闸菜就好了哟。

**举一反三**：

把蘑菇换成胡萝卜效果也不错哟!

第**7**道 **手撕肉**

**吕老师叮咛**

猪瘦肉用手撕成丝的时候要注意一定顺着肉的纹路哟。

**举一反三：**

① 也可以把醋5茶匙、辣椒油5茶匙、蒜泥5茶匙和其他调料一同放入电饭锅里。

② 把猪瘦肉也可以换成羊肉哟!

**食材：** 猪瘦肉1000g

**调味品：** 鲜味酱油1/3杯、水4杯、醋5茶匙、辣椒油5茶匙、蒜泥5茶匙、大料1个、葱白1段、姜2片

**做菜顺序：**

① 先将猪瘦肉洗净切成小手指厚的大片，放入开水锅里烫透（大约1分钟），捞出控净表面的水，然后放在电饭锅中。

② 把鲜味酱油1/3杯、水4杯、大料1个、葱白1段、姜2片放在电饭锅里，电饭锅盖上盖，通上电，调到煮饭挡。（这时你可以把醋5茶匙、辣椒油5茶匙、蒜泥5茶匙调成汁啦）。

③ 电饭锅制动跳闸菜就好了哟。

④ 把猪瘦肉用手撕成丝与调和好的汁一同上桌就可以了。

# 第8道 蒜泥五花肉

**吕老师叮咛**

① 选料时最好选用超市里已切好片的猪五花肉，避免自己刀工不好切的肉片不均匀。

② 五花肉里还可以放葱、姜、花椒、大料一起焖。这样会解菜肴的油腻。

③ 如果锅里水开后再放生的五花肉，然后再焖，这样菜肴成品能够使肥肉不腻。

**食材：** 猪五花肉片500g

**调味品：** 鲜味酱油10茶匙、水3杯、醋5茶匙、辣椒油5茶匙、蒜泥5茶匙、大料1个、葱白1段、姜2片

**做菜顺序：**

① 先将猪五花肉片洗净，放在电饭锅里。

② 再把水3杯、大料1个、葱白1段、姜2片倒入电饭锅里。

③ 电饭锅盖上盖，通上电，调到煮饭挡。（这时你可以把鲜味酱油10茶匙、醋5茶匙、辣椒油5茶匙、蒜泥5茶匙调成汁啦）。

④ 电饭锅制动跳闸后把五花肉盛入盘中配调味汁，这样菜就好了哟。

**举一反三：**

换成牛腱子，用这个方法也可以哟!

第**9**道 土豆芸豆炖排骨

📖 **吕老师叮咛**

① 土豆要选当年的，最好是黄麻子土豆。排骨块不要切的太大。

② 调料里如果添加东北大酱会有很浓的酱香味哟!

③ 如果把排骨焯水后再放在电饭锅里与土豆、芸豆一起焖效果会更好。

**食材：** 猪排骨250g、土豆250g、芸豆250g

🧂 **调味品：** 鲜味酱油1/3杯、水3杯、大料1个、葱白1段、姜2片

🔪 **做菜顺序：**

① 分别把猪排骨、土豆、芸豆洗净切块，放在电饭锅里。

② 把鲜味酱油1/3杯、水3杯、大料1个、葱白1段、姜2片也倒入电饭锅里。

③ 电饭锅盖上盖，通上电，调到煮饭挡。（这时你可以忙其他事啦）。

④ 电饭锅制动跳闸菜就好了哟。

🍴 **举一反三：**

排骨可以换成五花肉，芸豆也可以换成胡萝卜等。

# 第 **10** 道 土豆烧牛肉

### 吕老师叮咛

① 一定要选嫩的牛肉哟!

② 喜欢辣味的人，锅里还可以放一些辣椒哟。

③ 这是一道非常好吃的傻瓜菜，聪明人一看就会，你现在就尝试尝试吧。

**食材**：牛外脊500g、土豆500g

**调味品**：鲜味酱油1/3杯、白糖1茶匙、醋3茶匙、水4杯、大料1个、葱白1段、姜2片

### 做菜顺序：

① 先将牛外脊洗净切块，放入开水锅里烫透（大约1分钟），捞出控净表面的水。然后放在电饭锅里面。土豆洗净切块放在电饭锅里。

② 把鲜味酱油1/3杯、白糖1茶匙、醋3茶匙、水4杯、大料1个、葱白1段、姜2片放在电饭锅里。

③ 电饭锅盖上盖，通上电，调到煮饭挡。（这时你可以忙其他事啦）。

④ 电饭锅制动跳闸，菜就好了哟。

### 举一反三：

把牛肉也可以换成羊肉哟!

# 第11道 五香酱鲍鱼

**吕老师叮咛**

① 鲍鱼要用开水烫透才方便去壳。

② 这是一道非常好吃的鲍鱼菜，聪明人一看就会，你现在就尝试尝试吧。

③ 可以根据自己口味调整酱油的数量。

**食材：** 带壳鲍鱼1000g

**调味品：** 鲜味酱油1/4杯、水2杯、大料1个、葱白1段、姜2片

**做菜顺序：**

① 先将鲍鱼洗净放入开水锅里烫透（大约1分钟），捞出控净表面的水，然后去壳放在电饭锅里面。

② 把鲜味酱油1/4杯、水2杯、大料1个、葱白1段、姜2片放在电饭锅里。

③ 电饭锅盖上盖，通上电，调到煮饭挡。（这时你可以忙其他事啦）。

④ 电饭锅制动跳闸，菜就好了哟。

**举一反三：**

同样的方法也适用于大海螺哟!

第 **12** 道 # 西红柿炖牛腩

### 吕老师叮咛

① 牛腩与西红柿分别下锅可以提高菜肴的品质。另外要注意电饭锅调的是煲汤挡哟!

② 牛腩焯水是做好这道菜的关键。

③ 汤里也可以加一些番茄酱来提味,但是不要放多了哟!

**食材:** 牛腩500g、西红柿750g

**调味品:** 鲜味酱油1/4杯、精盐1茶匙、胡椒粉1茶匙、水3杯、大料1个、葱白1段、姜2片

### 做菜顺序:

① 先将牛腩洗净切块,放入开水锅里烫透(大约1分钟),捞出控净表面的水,然后放在电饭锅里面。再将西红柿洗净切块,放在一旁备用。

② 把鲜味酱油1/4杯、水3杯、大料1个、葱白1段、姜2片放入电饭锅里,电饭锅盖上盖,通上电,调到煲汤挡。

③ 开锅5分钟后打开电饭锅,加入西红柿、精盐、胡椒粉,再在把电饭锅盖上盖,通上电,调到煲汤挡。(这时你可以忙其他事啦)。

④ 电饭锅制动跳闸,菜就好了哟。

### 举一反三:

用羊腩也可以代替牛腩哟!

第 **13** 道 # 可乐大虾

### 吕老师叮咛

① 此菜成品色泽红亮，甜美宜人。是因为可乐含有大量的糖，经过加热后导致糖液浓缩，使糖液包裹在大虾表面上而成的。如果加水，效果就不好了哟。

② 放精盐的目的是使菜肴口味圆润。

③ 电饭锅制动跳闸后，必须及时用饭勺搅拌大虾，因为此时可乐已经浓缩到有煳香状态。如果不及时用饭勺搅拌大虾，大虾表面就会焦糊，影响菜肴品质。

**食材：** 大虾500g

**调味品：** 可乐2杯、精盐1/4茶匙、姜3片

**做菜顺序：**

① 把姜洗净切片放在电饭锅的锅底。

② 大虾洗干净放入开水锅里烫透（大约1分钟），捞出控净表面的水，然后放在电饭锅里面。再把可乐、精盐也一同放进锅里。

③ 把可乐2杯、精盐1/4茶匙倒入电饭锅里，盖上盖，通上电，调到煮饭挡。

④ 电饭锅制动跳闸后，及时用饭勺轻拌大虾，这样菜就好了哟。

**举一反三：**

鸡块等很多原料都可以这么做！

# 第14道 茄汁青鱼

### 吕老师叮咛

① 青鱼一定要用开水烫透，否则菜肴腥味会很浓的哟！

② 青鱼出电饭锅后如果晾凉，然后放在冰箱内冷藏24小时。你会发现此时青鱼的味道和口感与超市里的茄汁青鱼罐头变得一样了，你不想试一试吗？

**食材**：青鱼2尾（约800g）

**调味品**：番茄酱1/3杯、鲜味酱油1/6杯、精盐1茶匙、白糖1/6、水3杯、葱白1段、姜2片

**做菜顺序**：

① 先将青鱼去内脏、鱼鳃等，然后把青鱼洗净切块，放入开水锅里烫透（大约1分钟），捞出，控净表面的水，然后放在电饭锅里面。

② 把番茄酱1/3杯、鲜味酱油1/6杯、精盐1茶匙、白糖1/6、水3杯、葱白1段、姜2片放入电饭锅里。

③ 电饭锅盖上盖，通上电，调到煮饭挡。

④ 电饭锅制动跳闸后，及时用饭勺铲动青鱼，这样菜就好了哟。

**举一反三**：

鲅鱼这样做效果也很好。

# 第15道 焖鱼块

### 吕老师叮咛

① 青鱼一定要用开水烫透，否则菜肴腥味会很浓的哟！

② 焖鱼时加少许五花肉和辣椒，会使菜肴增加香辣味，但是添加的量不要多哟。

③ 这是一道非常好吃的傻瓜菜，聪明人一看就会，你现在就尝试尝试吧。

**食材：** 青鱼2尾（约800g）

**调味品：** 鲜味酱油1/3杯、白糖1茶匙、醋3茶匙、水3杯、大料1个、葱白1段、姜2片

**做菜顺序：**

① 先将青鱼去内脏、鱼鳃等，然后把青鱼洗净切块，放入开水锅里烫透（大约1分钟），然后捞出控净表面的水，再放在电饭锅里面。

② 把鲜味酱油1/3杯、白糖1茶匙、醋3茶匙、水3杯、大料1个、葱白1段、姜2片放入电饭锅里。

③ 电饭锅盖上盖，通上电，调到煮饭挡。

④ 电饭锅制动跳闸后，菜就好了哟。

**举一反三：**

其他的鱼这样做也可以，另外加一些辣椒提味效果也很好哟！

# 第16道 鲍鱼焖肉

**吕老师叮咛**

① 鲍鱼要用开水烫透才方便去壳。

② 试一试把五花肉用油炸一下，然后放在电饭锅里效果会如何？

③ 可以根据自己的口味喜好，增加或者减少酱油和白糖的数量，达到自己喜欢的口味。

**食材：**带壳鲍鱼500g、猪五花肉片500g

**调味品：**鲜味酱油1/3杯、白糖2茶匙、老抽酱油1茶匙、水2杯、大料1个、葱白1段、姜2片

**做菜顺序：**

① 先将鲍鱼洗净放入开水锅里烫透（大约1分钟），然后捞出控净表面的水，再去壳放在电饭锅里面。把猪五花肉洗净切块放入开水锅里烫透（大约1分钟），捞出控净表面的水也放在电饭锅里面。

② 把鲜味酱油1/3杯、白糖2茶匙、老抽酱油1茶匙、水2杯、大料1个、葱白1段、姜2片放在电饭锅里。

③ 电饭锅盖上盖，通上电，调到煮饭挡。

④ 电饭锅制动跳闸菜就好了哟。

**举一反三：**

鲍鱼换成土豆、胡萝卜等原料也可以哟!

第 **17** 道 **酱凤爪**

**吕老师叮咛**

① 鸡爪一定要用开水烫透，否则菜肴腥味会很浓的哟!

② 鸡爪尖和老皮一定要去掉哟!

③ 酱凤爪不可马上食用，让其在锅里自然冷却，酱香味会更浓。

**食材：** 鸡爪500g

**调味品：** 鲜味酱油1/3杯、老抽酱油1茶匙、水2杯、大料1个、葱白1段、姜2片

**做菜顺序：**

① 先将鸡爪洗净，放入开水锅里烫透（大约1分钟），然后捞出控净表面的水，再去鸡爪尖、老皮，最后放在电饭锅里面。

② 把鲜味酱油1/3杯、老抽酱油1茶匙、水2杯、大料1个、葱白1段、姜2片放入电饭锅里。

③ 电饭锅盖上盖，通上电，调到煮饭挡。

④ 电饭锅制动跳闸后，菜就好了哟。

**举一反三：**

鸡爪换成鸡腿就成了酱鸡腿了，这也是一款很好吃的菜哟。

# 第18道 肉片焖菜花

**吕老师叮咛**

① 菜花遇热爱出水，所以做菜时不用加太多的水，1/3杯酱油和2/3杯水就可以了。

② 喜欢辣味的人，锅里还可以放一些辣椒哟。

③ 这是一道非常好吃的傻瓜菜，聪明人一看就会，你现在就尝试尝试吧。

**食材：** 猪五花肉片200g、菜花250g

**调味品：** 鲜味酱油1/3杯、白糖1茶匙、醋3茶匙、水2/3杯、大料1个、葱白1段、姜2片

**做菜顺序：**

① 先将猪五花肉片洗净放在电饭锅的锅底，菜花掰成块洗净放在猪五花肉上面。

② 把鲜味酱油1/3杯、白糖1茶匙、醋3茶匙、水2/3杯、大料1个、葱白1段、姜2片放在电饭锅里。

③ 电饭锅盖上盖，通上电，调到煮饭挡。

④ 电饭锅制动跳闸后，菜就好了哟。

**举一反三：**

锅里如果放1茶匙精盐，此菜就变成了一道经典的咸菜。

# 红烧排骨

第**19**道

### 吕老师叮咛

① 排骨块不要切得太大。生排骨放入开水锅里烫透也是红烧排骨的关键步骤。

② 青红辣椒如果在电饭锅跳闸后再放进锅里焖2分钟，菜肴成品的颜色相对要好一些。

③ 食用时也可以蘸蒜酱来增加味道哟。

**食材**：猪排骨1000g、青红辣椒各少许

**调味品**：鲜味酱油1/3杯、老抽酱油1茶匙、白糖3茶匙、醋3茶匙、水2杯、大料1个、葱白1段、姜2片

### 做菜顺序：

① 先将猪排骨洗净切块，放入开水锅里烫透（大约1分钟），然后捞出控净表面的水，再放入电饭锅里。青红辣椒洗净切片也放入电饭锅里。

② 把鲜味酱油1/3杯、老抽酱油1茶匙、白糖3茶匙、醋3茶匙、水2杯、大料1个、葱白1段、姜2片放在电饭锅里。

③ 电饭锅盖上盖，通上电，调到煮饭挡。

④ 电饭锅制动跳闸后，菜就好了哟。

### 举一反三：

排骨可以换成带皮的五花肉，成品就变成红烧肉了哟!

# 第20道 辣子鸡块

**吕老师叮咛**

① 如果辣味不够可以放一杯红干椒，也可以用青尖椒当配料。

② 鸡块焯水是这道菜肴成功的关键。

③ 如果放一些鲜花椒粒，味道会更好。

**食材：** 鸡腿肉500g

**调味品：** 鲜味酱油1/3杯、老抽酱油1茶匙、白糖3茶匙、醋3茶匙、水2杯、葱白1段、姜2片、红干椒1/2杯

**做菜顺序：**

① 先将鸡腿肉洗净切块，放入开水锅里烫透（大约1分钟），然后捞出控净表面的水，再放在电饭锅里。

② 把鲜味酱油1/3杯、老抽酱油1茶匙、白糖3茶匙、醋3茶匙、水2杯、葱白1段、姜2片、红干椒1/2杯一同倒入电饭锅里。

③ 电饭锅盖上盖，通上电，调到煮饭挡。

④ 电饭锅制动跳闸后，菜就好了哟。

**举一反三：**

鸡腿肉可以用很多肉类原料代替哟！

# 电压力锅做的
# 可口佳肴

Part 3

第 **1** 道 **酱猪手**

### 吕老师叮咛

① 猪手一定用开水烫透，这样酱猪手味道才好吃哟！

② 待电压力锅制动跳闸后，拔掉电源。让猪手在原汤中自然冷却3小时，这样酱香味会渗透到猪手内部，味道也就更好。

**食材：** 猪手2只

**调味品：** 鲜味酱油1/2杯、老抽酱油2茶匙、精盐1茶匙、葱白1块、姜2片、大料1个、花椒3茶匙、五香粉1包、水适量（加水后调味汁的高度要与猪手平齐）

**做菜顺序：**

① 先将猪手洗净，用开水烫透（约1分钟）后，捞出控净水分，再放在电压力锅里。

② 把鲜味酱油1/2杯、老抽酱油2茶匙、精盐1茶匙、葱白1块、姜2片、大料1个、花椒3茶匙、五香粉1包和适量水放在电压力锅里。

③ 电压力锅盖上盖，调到"肉／鸡挡"，通上电。

④ 待电压力锅制动跳闸，菜就好了哟！

**举一反三：**

把猪手也可以换成牛腱子、鸡爪。

# 第2道 香辣猪手

## 吕老师叮咛

① 辣椒油不要与其他调味品一同放在电压力锅里，否则放气阀容易堵住。

② 电压力锅做香辣猪手用的是"豆／蹄筋"挡，可不要看错了哟！

### 举一反三：

同样的方法也适用鸡爪、鸡翅、猪肉等原料。

**食材**：猪手2只、香葱少许

**调味品**：鲜味酱油1/2杯、老抽酱油2茶匙、精盐1茶匙、葱白1块、姜2片、大料1个、花椒3茶匙、五香粉1包、辣椒油1/3杯。

**做菜顺序**：

① 先将猪手洗净，用开水烫透（约1分钟）后，捞出控净水分。放在电压力锅里。

② 把鲜味酱油1/2杯、老抽酱油2茶匙、精盐1茶匙、葱白1块、姜2片、大料1个、花椒3茶匙、五香粉1包和适量水放在电压力锅里（加水后调味汁的高度要与猪手平齐）。

③ 电压力锅盖上盖，调到"豆／蹄筋"挡，通上电。待电压力锅制动跳闸，并可以安全打开锅盖时，开盖取出猪手。

④ 把猪手切成块与辣椒油1/3杯、电压力锅里的原汤1/3杯一同搅拌均匀。最后撒上洗净的香葱少许。这样一道美味的香辣猪手就好了哟！

美味家常菜

第**3**道 圆葱番茄烩牛肉

**吕老师叮咛**

① 牛肉一定用开水烫透，这样菜肴味道才好吃哟!

② 电压力锅里添水的量是做菜的关键。

③ 若番茄味道不浓郁，还可以加少许番茄酱提味。

**食材：** 牛肉500g、圆葱1个、番茄2～3个

**调味品：** 鲜味酱油1/5杯、精盐1～2茶匙、葱白1块、姜2片、大料1个、白胡椒粉3茶匙、水适量

**做菜顺序：**

① 先将牛肉洗净切方块，用开水烫透（约1分钟）后，捞出控净水分。放在电压力锅里。再把圆葱、番茄分别洗净切块，也倒入电压力锅里。

② 把鲜味酱油1/5杯、精盐1～2茶匙、葱白1块、姜2片、大料1个、白胡椒粉3茶匙、水倒入电压力锅里（加水后调味汁的高度要比食材略高）。

③ 电压力锅盖上盖，调到"肉／鸡"挡，通上电。

④ 待电压力锅制动跳闸，菜就好了哟!

**举一反三：**

如果把牛肉换成羊肉效果也不错哟!

第 **4** 道 **叉烧排骨**

📒 **吕老师叮咛**

① 排骨最好选子排。

② 排骨稍微冲洗一下之后，用生粉捏一捏，洗干净血水。既可去腥又能让肉质更嫩滑些。

③ 电压力锅制动跳闸开盖后，应该用饭勺将排骨在锅里搅拌，使排骨表面挂汁均匀。

**食材**：猪排骨1000g

🧂 **调味品**：李锦记叉烧酱1/3杯，料酒3～4茶匙、葱白1块、姜2片、水适量

🍳 **做菜顺序**：

① 先将猪排骨（最好选子排）稍微冲洗一下后，切成块，再用生粉捏一捏，重新洗干净血水。放入电压力锅里。

② 把李锦记叉烧酱1/3杯，料酒3～4茶匙、葱白1块、姜2片、水放在电压力锅里（加水后调味汁的高度要比食材略高）。

③ 电压力锅盖上盖，调到"肉/鸡"挡，通上电。

④ 待电压力锅制动跳闸，菜就好了哟！

✂️ **举一反三**：

这样的做法也适用猪的精瘦肉，就是人们喜爱的美食叉烧肉哟！

第**5**道 酥鲫鱼

### 吕老师叮咛

酥鲫鱼中含有丰富的蛋白质，脂肪，钙，磷，铁等多种元素，是当今最时髦话题——补钙的最佳食品，特别是对老人，孩子，孕妇，病人，既丰富营养，又不必担心鱼刺；香酥中含着微微的甜味，妙不可言；整条鱼的全身骨刺酥透，除了鱼眼中的那个小白球眼仁外，全部都是腹中美食，骨虽酥而肉质却坚挺，正所谓：有嚼头，有回味，是老少皆宜的美味佳肴。

**食材：** 500g的鲫鱼5尾

**调味品：** 鲜味酱油1/3杯、绍酒1/4、醋1/3、精盐1茶匙、白糖2～4茶匙、葱白1块、姜2片、蒜瓣5个、胡椒粒4茶匙、水适量

**做菜顺序：**

① 先将鲫鱼去鳞、腮、内脏并且摘洗干净后，用盐腌一会儿，过热油炸30秒捞出，放在电压力锅里。

② 再把鲜味酱油1/3杯、绍酒1/4、醋1/3、白糖2～4茶匙、葱白1块、姜2片、蒜瓣5个、胡椒粒4茶匙和适量水倒在电压力锅里（加水的高度要与鲫鱼平齐）。

③ 电压力锅盖上盖，调到"豆/蹄筋"挡，通上电。

④ 待电压力锅制动跳闸，菜就好了哟!

**举一反三：**

换成其他的鱼也可以。

第**6**道 麻辣肉

**吕老师叮咛**

① 辣椒油要后放进锅里效果才好哟!
② 肉焯水是此菜成功的关键。
③ 食用时肉可以切片也可以切丝。

**食材**：猪瘦肉500g、辣椒1个

**调味品**：鲜味酱油1/2杯、精盐1茶匙、葱白1块、姜2片、大料1个、花椒5茶匙、五香粉1包、辣椒油1/3杯、水适量

**做菜顺序**：

① 先将猪瘦肉洗净切大块，用开水烫透（约1分钟）后，捞出控净水分，再放进电压力锅里。

② 把鲜味酱油1/2杯、精盐1茶匙、葱白1块、姜2片、大料1个、花椒5茶匙、五香粉1包、适量的水和洗净切片的辣椒一起倒入电压力锅里（加水后调味汁的高度要比猪瘦肉高一些）。

③ 电压力锅盖上盖，调到"肉／鸡"挡，通上电。

④ 待电压力锅制动跳闸，开盖把辣椒油倒进锅里拌均匀，菜就好了哟!

**举一反三**：

羊肉、牛肉也可以这么做。

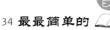
第**7**道 黄豆海带炖排骨

### 吕老师叮咛

① 水发黄豆就是把干黄豆用温水浸泡2小时至豆皮自动脱落。

② 排骨一定用开水烫透，这样味道才好吃哟！

③ 此菜健脾宽中，润燥消水，含有植物雌激素，有效平衡体内激素。

**食材**：排骨:500g、水发黄豆200g、水发厚海带500g

**调味品**：鲜味酱油1/5杯、精盐1～2茶匙、葱白1块、姜2片、大料1个、水适量

### 做菜顺序：

① 先将排骨洗净斩成块，用开水烫透（约1分钟）后，捞出控净水分。放进电压力锅里。再把厚海带洗净切成块与水发黄豆一起放进电压力锅里。

② 把鲜味酱油1/5杯、精盐1～2茶匙、葱白1块、姜2片、大料1个与适量水（加水后调味汁的高度要比食材略高）全部放入电压力锅里。

③ 电压力锅盖上盖，调到"肉／鸡"挡，通上电。

④ 待电压力锅制动跳闸，菜就好了哟！

### 举一反三：

把黄豆与海带换成土豆和芸豆也非常好吃哟！

第**8**道 咖喱牛肉

### 吕老师叮咛

① 咖喱块（我用的是百梦多微辣，用了3块）。

② 如果你喜欢辣味，电压力锅里还可以放几个红干椒哟!

③ 这道菜如果晾凉后吃，会有些像超市卖的肉干。周末郊游时当小食品效果应该不错。

**食 材：**牛外脊肉500g、洋葱1个

**调味品：**鲜味酱油1/5杯、白糖1茶匙、咖喱3块、葱白1块、姜2片、水适量

**做菜顺序：**

① 先将洗净牛肉切块或者切片，用开水烫透（块约1分钟、片约30秒）后，捞出控净水分。放进电压力锅里。再把洋葱洗净切块，放在电压力锅里。

② 把鲜味酱油1/5杯、白糖1茶匙、咖喱3块、葱白1块、姜2片、水适量全部倒进电压力锅里（加水后调味汁的高度要比食材略高）。

③ 电压力锅盖上盖，调到"肉／鸡"挡，通上电。

④ 待电压力锅制动跳闸，菜就好了哟!

**举一反三：**

这种做法也适用于做咖喱鸡块。

美味家常菜

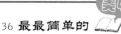

第**9**道 **黄豆猪蹄简**

### 吕老师叮咛

① 猪手一定用开水烫透，这样猪蹄味道才好吃哟!

② 水发黄豆就是把干黄豆用温水浸泡2小时至豆皮自动脱落。

③ 一定要选择当年新鲜的东北黄豆，不要选择陈年的老黄豆。

**食材**：猪手2个、水发黄豆300g

**调味品**：鲜味酱油1/3杯、精盐1茶匙、葱白1块、姜2片、大料1个、水适量

**做菜顺序**：

① 先将猪手洗净，用开水烫透（约1分钟）后，捞出控净水分，再放进电压力锅里。

② 把鲜味酱油1/3杯、精盐1茶匙、葱白1块、姜2片、大料1个、适量水全部倒进电压力锅里（加水后调味汁的高度要比食材略高）。

③ 电压力锅盖上盖，调到"肉／鸡"挡，通上电。

④ 待电压力锅制动跳闸，把猪手捞出切成块，然后与水发黄豆一起放进电压力锅里再煮15分钟就好了哟!

**举一反三**：

同样的方法也适用于羊蹄等其他食材。

第**10**道 # 香辣凤爪

📖 **吕老师叮咛**

① 辣椒油不要与其他调味品一同放在电压力锅里,否则放气阀容易堵住。

② 电压力锅做香辣鸡爪用的是"豆／蹄筋"挡,可不要看错了哟!

✂ **举一反三:**

同样的方法也适用于鸡翅、猪肉等原料。

**食材:** 鸡爪1000g、辣椒少许、芹菜少许

🧂 **调味品:** 鲜味酱油1/2杯、老抽酱油2茶匙、精盐1茶匙、葱白1块、姜2片、大料1个、花椒3茶匙、五香粉1包、辣椒油1/3杯、水适量

🍳 **做菜顺序:**

① 先将鸡爪洗净,用开水烫透(约1分钟)后,捞出控净水分,摘去鸡爪尖和老皮,放在电压力锅里。辣椒、芹菜分别洗净也放进电压力锅里。

② 把鲜味酱油1/2杯、老抽酱油2茶匙、精盐1茶匙、葱白1块、姜2片、大料1个、花椒3茶匙、五香粉1包、适量水放在电压力锅里(水的高度要与凤爪齐平)。

③ 电压力锅盖上盖,调到"豆／蹄筋"挡,通上电。待电压力锅制动跳闸,并可以安全打开锅盖时,开盖取出鸡爪。

④ 把鸡爪切成块与辣椒油1/3杯、电压力锅里的原汤1/3杯一同搅拌均匀。这样一道美味的香辣鸡爪就好了哟!

第**11**道 **无锡排骨**

### 吕老师叮咛

无锡排骨是一道相当费工的火候菜，菜肴外观金黄发亮，香气扑鼻，只要小尝一口，马上就会被酥烂鲜美的排骨肉所深深吸引住。而用电压力锅来制作无锡排骨则非常简单，同样能达到酥烂脱骨的特点，还等什么？马上试一试吧！

**食材：** 猪排骨1000g

**调味品：** 绍酒2茶匙、生抽1/4杯、老抽1茶匙、精盐3茶匙、白糖5茶匙、红曲米1茶匙、大葱白1块、姜2片、大料1个、桂皮1小块、水适量（加水后调味汁的高度要与排骨略高）

**做菜顺序：**

① 将排骨洗净斩成小块，用精盐2茶匙拌匀腌10小时左右取出。再将腌制好的排骨，放入开水中焯1分钟，放进电压力锅里。

② 把绍酒2茶匙、生抽1/4杯、老抽1茶匙、精盐1茶匙、白糖5茶匙、红曲米1茶匙、大葱白1块、姜2片、大料1个、桂皮1小块与水一起倒入电压力锅里（加水后调味汁的高度要比排骨略高）。

③ 电压力锅盖上盖，调到"肉/鸡"挡，通上电。

④ 待电压力锅制动跳闸，好吃的无锡排骨就好了哟!

**举一反三：**
同样的方法也可以制作无锡鸡翅。

第 **12** 道 # 红焖肉炖土豆

📖 **吕老师叮咛**

① 肉不要切得太小，太小易缩易碎。五花肉放在水中浸，可以浸去毛细血管中的血。

② 检验肉烂的标准，筷子一戳，轻易叉进肉里，说明肉烂了。

✏️ **举一反三：**

此菜去掉土豆、辣椒就是有名的红烧肉哟！

**食材**：猪五花肉1000g、土豆500g、辣椒1个

🧂 **调味品**：鲜味酱油1/3杯、老抽酱油2茶匙、半杯料酒、白糖3茶匙、葱白1块、姜2片、大料1个、花椒3茶匙、五香粉1包、水适量

🍴 **做菜顺序：**

① 五花肉要洗净后切成方形的块，用冷水浸泡20分钟（水中放半杯料酒）。取出五花肉用开水烫透（约1分钟）后，捞出控净水分，放在电压力锅里。然后把土豆洗净去皮切块、辣椒洗净切片放进电压力锅里。

② 把鲜味酱油1/3杯、老抽酱油2茶匙、白糖3茶匙、葱白1块、姜2片、大料1个、花椒3茶匙、五香粉1包、与适量水全部放进电压力锅里（加水后调味汁的高度要比猪五花肉略高）。

③ 电压力锅盖上盖，调到"肉／鸡"挡，通上电。

④ 待电压力锅制动跳闸，菜就好了哟！

第 **13** 道 # 奶汤鲫鱼

### 吕老师叮咛

① 鲫鱼去内脏时可不要弄破苦胆哟!

② 注意吃鱼的时候别着急,别让鱼刺卡到嗓子呀!

③ 选择鲫鱼时不要选择超过400g一条的,否则会影响菜肴的口味。

**食材:** 250g的鲫鱼2尾、香葱段少许

**调味品:** 精盐2茶匙、醋3茶匙、鲜奶1茶匙、胡椒粉1茶匙、香油1茶匙、葱白1块、姜2片、水适量(加水的高度要比鲫鱼高一些)

### 做菜顺序:

① 先将鲫鱼去鳞、去内脏、去鳃,然后用水洗净。把鲫鱼两面切上斜刀口,用开水烫透(约1分钟)后,捞出控净水分,放进电压力锅里。

② 把精盐2茶匙、醋3茶匙、鲜奶1茶匙、胡椒粉1茶匙、葱白1块、姜2片和适量水全部倒入电压力锅里(加水的高度要比鲫鱼高一些)。

③ 电压力锅盖上盖,调到"煲汤"挡,通上电。

④ 待电压力锅制动跳闸,打开锅盖,最后添加香油1茶匙、香葱段,这样菜就好了哟!

### 举一反三:

奶汤鲫鱼里还可以添加豆腐块、时令青菜等。

第 **14** 道 **红烧鸡脖子**

### 吕老师叮咛

① 鸡脖子要用开水烫透。

② 加水后调味汁的高度要与鸡脖子平齐，如果水添多了菜味就不浓了。

③ 电压力锅制动跳闸后放置30分钟后，会增加红烧鸡脖子的浓郁味道。

**食材：** 鸡脖子8个、辣椒1个

**调味品：** 鲜味酱油1/3杯、老抽酱油1茶匙、1/4杯料酒、白糖3茶匙、葱白1块、姜2片、大料1个、五香粉1包、水适量

**做菜顺序：**

① 将鸡脖子洗净每个切成2块，用开水烫透（约1分钟）后，捞出控净水分，放在电压力锅里。辣椒洗净切片放进电压力锅里。

② 把鲜味酱油1/3杯、老抽酱油1茶匙、1/4杯料酒、白糖3茶匙、葱白1块、姜2片、大料1个、五香粉1包和适量水全部倒入电压力锅里（加水后调味汁的高度要与鸡脖子平齐）。

③ 电压力锅盖上盖，调到"肉／鸡"挡，通上电。

④ 待电压力锅制动跳闸，菜就好了哟！

**举一反三：**

鸡爪、鸡腿、鸡头同样可以这样做哟！

第15道 **肉香浓汤**

### 吕老师叮咛

① 上脑肉是猪瘦肉中含脂肪最多的部位。

② 如果感觉汤的浓度不够，烹饪时还可以加少许猪肉皮，这样汤的浓度会更浓，味道更香。

③ 从营养的角度考虑，建议在喝汤时配一些时令青菜。

**食材**：猪上脑肉250g

**调味品**：精盐1茶匙、味精1茶匙、大料1个、大葱白2块、姜2片、水8杯

**做菜顺序**：

① 先将猪肉洗净切条，放进电压力锅里。

② 把精盐1茶匙、味精1茶匙、大料1个、大葱白2块、姜2片和8杯水一起倒进电压力锅里。

③ 电压力锅盖上盖，调到"煲汤"挡，通上电。

④ 待电压力锅制动跳闸，挑出大葱白、姜片、大料。这样肉香浓汤就好了哟!

**举一反三**：

其他肥瘦相间的部位也适合煲汤。

第16道 鱼羊鲜

### 吕老师叮咛

① 这是改良版适宜家庭的"鱼羊鲜"做法，简单易学。还等什么？马上试试吧！

② 鱼去内脏时可不要弄破苦胆，这是成功的关键。

③ 从中国汉字结构来说，"鱼"字加"羊"字就组成一个"鲜"字，可见其味鲜美。另外鱼、羊一起做菜味道能互补，有独特的鲜浓味道与营养，是传统的滋补品，冬日吃很能补身子。

**食材：** 鲜鲤鱼1条（约750g），带皮熟羊肉500g，香葱少许

**调味品：** 鲜味酱油1/5杯、精盐1茶匙、料酒1/4杯、白糖3茶匙、葱白1块、姜2片、大料1个、胡椒粉1茶匙、水适量

### 做菜顺序：

① 将鲤鱼去鳞、去鳃、去内脏洗净，取下头尾。再把鱼肉切成长方块，用开水烫透（约1分钟）后，捞出控净水分，放在电压力锅里。带皮熟羊肉也切成长方块，放在电压力锅里。

② 把鲜味酱油1/5杯、精盐1茶匙、料酒1/4杯、白糖3茶匙、葱白1块、姜2片、大料1个、胡椒粉1茶匙和水全部倒入电压力锅里（加水后调味汁的高度要与食材平齐）。

③ 电压力锅盖上盖，调到"肉／鸡"挡，通上电。

④ 待电压力锅制动跳闸，打开锅盖把洗净的香葱放进电压力锅里，这样菜就好了哟！

### 举一反三：

鳜鱼、鲫鱼、鲈鱼等都是做"鱼羊鲜"的上佳食材。

第 **17** 道 山东酥肉

### 吕老师叮咛

山东酥肉是有名的鲁菜，它色泽为金黄色，汤鲜，肉酥烂，味醇香，是可口的饭菜。

### 举一反三：

同样的方法用羊肉也可以。

**食材**：猪肋条肉（去皮五花肉）250g、青菜少许

**调味品**：精盐1茶匙、味精 1茶匙、鲜味酱油 5～6茶匙、胡椒粉1茶匙、醋 3茶匙、鸡蛋 1～2个、大葱白1块、姜2片、香油 1茶匙、花生油适量、淀粉适量、水适量

### 做菜顺序：

① 将淀粉加水适量调匀成湿淀粉，待用。将猪肋条肉（去皮五花肉）洗净切成0.5厘米厚的大片，两面剞花刀纹，再改成3.5厘米长、1.5厘米宽的长条。

② 将鸡蛋磕入碗内，加湿淀粉调成糊，肉条用少许盐抓匀，再放入糊浆碗内。

③ 旺火坐油勺，放花生油烧至七成热，将肉条蘸均匀糊浆，逐块下勺炸成金黄色捞出，放入电压力锅里。

④ 把精盐1茶匙、味精 1茶匙、鲜味酱油 5～6茶匙、胡椒粉1茶匙、醋 3茶匙、大葱白1块、姜2片和水全部倒入电压力锅里（加水后调味汁的高度要比食材高一些）。

⑤ 电压力锅盖上盖，调到"煲汤"挡，通上电。待电压力锅制动跳闸，打开锅盖把洗净的青菜与香油放进电压力锅里，焖2分钟菜就好了哟!

第**18**道

# 农家菜

📖 **吕老师叮咛**

① 吃的时候要把鸡蛋酱与食材拌均匀哟!

② 炸鸡蛋酱要选东北的大酱，味道会更好吃。

③ 土豆要选择当年的土豆，茄子要选择鲜嫩的。

**食材：** 土豆1个、茄子2个、小葱适量

**调味品：** 鸡蛋酱1/3杯

**做菜顺序：**

① 将土豆去皮洗净切成2块，茄子洗净切成2块，一起放在电压力锅里。

② 电压力锅盖上盖，调到"肉 / 鸡"挡，通上电。

③ 待电压力锅制动跳闸，打开锅盖取出土豆、茄子装盘。

④ 小葱洗净切成小段，也摆在盘子里，旁边配上鸡蛋酱。这样菜就好了哟!

**举一反三：**

这是一道东北常见的农家菜，那么其他蔬菜也可以这样做。

# 第19道 腐乳茄子鸡

**吕老师叮咛**

① 这是一道非常简单的傻瓜菜,它咸香清淡、油而不腻,一学就会哟!

② 鸡腿焯水是此菜成功的关键。

③ 最后添加香油,能够使香味更浓郁。

**食材:**鸡腿2个、茄子1个

**调味品:**鲜味酱油1/4杯、腐乳1块、耗油1茶匙、精盐1/2茶匙、白糖2茶匙、香油1茶匙、水适量

**做菜顺序:**

① 先将鸡腿洗净切小块,用开水烫透(约1分钟)后,捞出控净水分,放在电压力锅里。再将茄子洗净去皮切成小块,放在电压力锅里。

② 鲜味酱油1/4杯、腐乳1块、耗油1茶匙、精盐1/2茶匙、白糖2茶匙和适量水全部倒入电压力锅里(加水后调味汁的高度要比食材略高)。

③ 电压力锅盖上盖,调到“肉/鸡”挡,通上电。

④ 待电压力锅制动跳闸,打开锅盖倒入1茶匙香油放进电压力锅里菜就好了哟!

**举一反三:**

其他相近的食材也可以用这样的方法做。

第20道 **枸杞芝麻虾**

### 吕老师叮咛

① 去掉肠线是做大个虾的关键，否则会影响菜肴的口感。

② 大虾用水烫一下效果更好。

③ 最后放入芝麻主要是考虑芝麻的口感。所以不要先放芝麻哟。

**食材：** 大虾500g、枸杞1茶匙、熟芝麻1茶匙

**调味品：** 番茄酱5茶匙、鲜味酱油1/4杯、精盐1/2茶匙、醋5茶匙、白糖5茶匙、大料1个、花椒1茶匙、大葱白1块、姜2片、水适量

### 做菜顺序：

① 大虾洗净，去掉肠线，枸杞用水泡发，一起放入电压力锅中。

② 把番茄酱5茶匙、鲜味酱油1/4杯、精盐1/2茶匙、醋5茶匙、白糖5茶匙、大料1个、花椒1茶匙、大葱白1块、姜2片和适量水全部倒入电压力锅里（加水后调味汁的高度要比食材略低或者持平）。

③ 电压力锅盖上盖，调到"肉/鸡"挡，通上电。

④ 待电压力锅制动跳闸，打开锅盖把1茶匙熟芝麻撒入电压力锅里菜就好了哟!

### 举一反三：

也可以用家禽来做这道菜。

我爱
小烤箱

P<sub>art</sub> 4

第 **1** 道 # 烤黄蚬子

**吕老师叮咛**

① 简易烤箱是指没有温度挡的家用烤箱。

② 鲜活的黄蚬子里有很多泥沙，不好清洗。如果将鲜活的黄蚬子放进水盆里，水盆上面扣一个不透光的盖子，黄蚬子就会在水盆里自己吐出泥沙。

③ 烤好的黄蚬子有着淡淡的咸和浓浓的鲜，入口滑软，汁水满腔，用舌头舔拭一下，再吧嗒吧嗒嘴，齿颊之间鲜香弥漫。

**食 材：** 鲜活黄蚬子500g

**调味品：** 精盐1茶匙、辣椒粉2茶匙、孜然粉2茶匙

**做菜顺序：**

① 先将鲜活的黄蚬子放在水盆里，水盆上面扣一个盖子，但是不要盖严（2小时后取出冲洗干净）。

② 把黄蚬子放在烤盘上，然后放在简易烤箱里，关上烤箱门，把烤箱调到"烤"挡，"时间"挡调到3分钟，通上电。3分钟后取出烤盘，把个别没有张嘴的黄蚬子挑出来，掰开黄蚬子的嘴，然后把所有的黄蚬子肉上面均匀撒上精盐、辣椒粉和孜然粉。

③ 再把黄蚬子放在烤盘上，放进烤箱里，关上烤箱门，把烤箱调到"烤"挡，"时间"挡调到3分钟，通上电。

④ 待烤箱制动跳闸后，一盘香气四溢的烤黄蚬子就好了哟。

**举一反三：**

多种其他有贝壳也适用这种方法。

第**2**道 **盐焗烤鲍鱼**

**吕老师叮咛**

① 盐焗鸡粉1袋可以腌2斤肉食材。
② 这是一道非常简单的鲍鱼菜肴，做法独特、口味也特别好吃。还等什么？马上试试吧！

**食材：** 带壳鲜鲍鱼1000g

**调味品：** 盐焗鸡粉1/2袋（超市可以买到）

**做菜顺序：**

① 先将鲍鱼冲洗干净，然后放在开水里煮5分钟捞出，再把鲍鱼的壳与肉分离。
② 把所有的鲍鱼肉放在一个盆里，鲍鱼肉上撒上盐焗鸡粉，用手抓均腌10分钟。
③ 把鲍鱼肉重新放回壳里，摆在烤盘上。
④ 当烤箱温度达到200摄氏度时，把鲍鱼放在烤箱里。5分钟后把鲍鱼从烤箱里取出，一盘香气四溢的盐焗鲍鱼就好了哟。

**举一反三：**

把鲍鱼换成鸡翅效果同样好。

第**3**道 **烤鱿鱼**

**吕老师叮咛**

① 烤箱种类多种多样，烤箱的功能各不相同，要根据不同功能的烤箱设置"烤"的时间，学会灵活应用。

② 蒜蓉辣酱的种类繁多，建议用天津产的蒜蓉辣酱。

③ 食用时鱿鱼要切段，还可以蘸蒜蓉辣酱补充味道的不足。

**食材：** 鲜鱿鱼1条（约250g～350g）

**调味品：** 蒜蓉辣酱3茶匙、精盐1茶匙、辣椒粉2茶匙、孜然粉2茶匙

**做菜顺序：**

① 先将鲜鱿鱼洗干净，头尾分开。再用开水烫透后捞出，表面抹一层色拉油，用精盐1茶匙抹均匀，然后放入烤箱，关上烤箱门，把烤箱调到"烤"挡，"时间"挡调到5～8分钟，通上电。

② 5～8分钟后取出烤盘，在鱿鱼表面刷上蒜蓉辣酱3茶匙、撒上辣椒粉2茶匙、孜然粉2茶匙，再重新把鱿鱼放在烤盘上，然后放在烤箱里，关上烤箱门，把烤箱调到"烤"挡，"时间"挡调到2～3分钟，通上电。

③ 待烤箱制动跳闸后，一盘香气四溢的烤鱿鱼就好了哟。

**举一反三：**

烤鱿鱼的方法还适用于很多贝壳类海鲜。

# 第4道 西式烤鱼

**吕老师叮咛**

千万不要弄迫鱼苦胆，烤鱼的时候记住一定要翻身。

**举一反三：**
其他鱼也适用这种做法哟！

**食材：** 鲜活鲤鱼1尾（750g～850g）

**调味品：** 白兰地酒1/4杯、精盐3茶匙、白胡椒粉2茶匙、大葱白1块、姜2片、大蒜蓉1/3杯

**做菜顺序：**

① 先将鲜活鲤鱼宰杀，去鳞、去鳃、去内脏洗净，在鲤鱼两侧的表面等距离均匀的用刀切到骨刺。

② 用白兰地酒1/4杯、精盐3茶匙、白胡椒粉2茶匙、大葱白1块、姜2片腌鲤鱼40分钟。

③ 把鲤鱼放在烤盘上，放进烤箱里，关上烤箱门，把烤箱调到"烤"挡，"时间"挡调到12分钟，通上电。12分钟后取出烤盘把鲤鱼翻身，在鲤鱼的表面均匀的抹1层大蒜蓉。

④ 再把鲤鱼放在烤盘上，放进烤箱里，关上烤箱门，把烤箱调到"烤"挡，"时间"挡调到10分钟，通上电。

⑤ 待烤箱制动跳闸后，一盘香气四溢的烤鱼就好了哟。

# 第**5**道 日式烤青鱼

🗂 **吕老师叮咛**

① 如果家里没有日本清酒，也可以用红葡萄酒代替。

② 新鲜的青鱼眼睛突出、明亮、肉质有弹性。一定要选择这样的青鱼做这道菜肴哟。

③ 如果感到咸味不足，食用时可以蘸少许精盐。

**食 材**：青鱼2尾（600g～800g）

🧂 **调味品**：精盐2茶匙、味精1茶匙、清酒1//4杯、辣椒粉2茶匙、椒盐粉1茶匙

🍴 **做菜顺序**：

① 先把青鱼去鳞、去鳃、去内脏洗净，加精盐2茶匙、味精1茶匙、清酒1//4杯涂抹均匀，放入烤箱中，把烤箱调到"烤"挡，"时间"挡调到13分钟，通上电。13分钟后取出烤盘把青鱼翻身，在青鱼的表面均匀的抹1层辣椒粉2茶匙、椒盐粉1茶匙。

② 再把青鱼放在烤盘上，放进烤箱里，关上烤箱门，把烤箱调到"烤"挡，"时间"挡调到3分钟，通上电。

③ 待烤箱制动跳闸后一盘香气四溢的烤鱼就好了哟！

🔪 **举一反三**：

日式烤鲽鱼头用的也是这种做法哟！

# 第**6**道 新疆烤鱼

**吕老师叮咛**

① 千万不要弄迫鱼苦胆，烤鱼的时候记住一定要翻身。

② 这是一种看似复杂，做起来比较容易的烤鱼方法，还等什么马上试试吧！

**食材：** 鲜活鲤鱼1尾（750g～850g）

**调味品：** 料酒1/4杯、蒜蓉辣酱3茶匙、精盐1茶匙、辣椒粉2茶匙、孜然粉2茶匙、大葱白1块、姜2片

**做菜顺序：**

① 先将鲜活鲤鱼宰杀，去鳞、去鳃、去内脏洗净，在鲤鱼两侧的表面等距离均匀用刀切到骨刺。

② 用料酒1/4杯、精盐1茶匙、大葱白1块、姜2片腌鲤鱼40分钟。

③ 把鲤鱼放在烤盘上，放进烤箱里，关上烤箱门，把烤箱调到"烤"挡，"时间"挡调到12分钟，通上电。12分钟后取出烤盘把鲤鱼翻身，继续烤12分钟取出。

④ 在鲤鱼表面刷上蒜蓉辣酱3茶匙，撒上辣椒粉2茶匙、孜然粉2茶匙，再把鲤鱼放在烤盘上，重新放进烤箱里烤1分钟。一盘香气四溢的烤鱼就好了哟！

**举一反三：**

用鲈鱼、鳜鱼烤的效果会更好。

第 **7** 道 **烤毛蚶**

**吕老师叮咛**

① 鲜活的毛蚶里有很多泥沙，不好清洗。如果将鲜活的毛蚶放在水盆里，水盆上面盖一个不透光的盖子，毛蚶就会在水盆里自己吐出泥沙。

② 烤好的毛蚶口感有淡淡的咸，浓浓的鲜，入口滑软，汁水满腔，用舌头舔拭一下，再吧嗒吧嗒嘴，齿颊之间鲜香弥漫。

**食材：**鲜活毛蚶500g

**调味品：**精盐1茶匙、辣椒粉2茶匙、孜然粉2茶匙

**做菜顺序：**

① 先将鲜活的毛蚶放在水盆里，水盆上面盖一个盖子，但是不要盖严（2小时后取出冲洗干净）。

② 把毛蚶放在烤盘上，然后放在烤箱里，关上烤箱门，把烤箱调到"烤"挡，"时间"挡调到3分钟，通上电。3分钟后取出烤盘，把个别没有张嘴的毛蚶挑出来，掰开毛蚶的嘴。然后把所有的毛蚶肉上面均匀撒上精盐、辣椒粉、孜然粉。

③ 再把毛蚶放在烤盘上，然后放在烤箱里，关上烤箱门，把烤箱调到"烤"挡，"时间"挡调到3分钟，通上电。

④ 待烤箱制动跳闸后一盘香气四溢的烤毛蚶就好了哟。

**举一反三：**

黄蚬子、文蛤等贝壳类海鲜都非常适用这种做法。

第**8**道 **烤虾**

**吕老师叮咛**

① 不用很多的调料，否则会失去虾的鲜味。

② 烤虾的皮脆肉香是一道下酒的佳肴。

③ 新鲜的海虾头必须完整、肉质有弹性。一定要选择这样的海虾做这道菜肴哟!

**食材**：普通海虾500g

**调味品**：精盐2茶匙、椒盐粉1茶匙

**做菜顺序**：

① 洗净虾，去除虾须。放入镂空的筐中沥干水分（很重要的）。

② 把处理好的虾整齐的排放在铺好锡纸的烤盘上，在虾身上均匀的撒上精盐2茶匙。

③ 把虾放在烤箱里，关上烤箱门，把烤箱调到"烤"挡，"时间"挡调到12分钟，通上电。12分钟后取出烤盘，然后把所有的海虾上面均匀撒上椒盐粉。

④ 再把海虾放在烤盘上，然后放在烤箱里，关上烤箱门，把烤箱调到"烤"挡，"时间"挡调到1分钟，通上电。待烤箱制动跳闸后，一盘香气四溢的烤虾就好了哟。

**举一反三**：

基围虾也可以用这样的方法做。

第**9**道

# BBQ烤鸡翅

**吕老师叮咛**

① 如果你家的烤箱比较高级，最好把烤箱先预热220度，然后再把鸡翅放烤箱中。这样用15～20分钟就能烤好的鸡翅了（不但节省时间烤出的味道也好）

② 关键是你腌制的要入味，烤出来才好吃。

**食材：** 鸡翅翅中（500～750g）

**调味品：** BBQ烤料酱1小袋（超市可以买到）

**做菜顺序：**

① 先将鸡翅中洗净。

② BBQ烤料酱1小袋倒入清水慢慢搅拌直至烤料完全融化。

③ 把鸡翅中放入融化的烤料里，盖上密封盖，放入冰箱冷藏24小时。

④ 将腌好的鸡翅中取出，放入烤箱里，待烤箱通电后30分钟，菜就好了。

**举一反三：**

和鸡翅比较相近的食材都可以这么做哟！

第 **10** 道 盐焗烤鸡翅

### 吕老师叮咛

① 用手反复揉搓是关键。

② 用锡纸包裹严能留住盐焗菜肴特有的香气。

③ 如果家里的烤箱有温度表盘，建议烤箱在达到200摄氏度后，再放入鸡翅，这样烤10分钟就好了哟。

**食材：** 鸡翅中1000g

**调味品：** 盐焗鸡粉1小袋（超市可以买到）

**做菜顺序：**

① 先将鸡翅中洗净。

② 将鸡翅中放入盐焗鸡粉1小袋里，用手反复揉搓3分钟。

③ 将腌好的鸡翅用锡纸包裹严，放入烤箱里。

④ 待烤箱通电后30分钟，菜就好了。

**举一反三：**

喜欢吃盐焗鸡的人，赶紧用这种超级简单的方法做吧！

第**11**道 羊肉串

### 吕老师叮咛

① 烤的过程中用刷子刷适量油，否则瘦肉会很干燥。

② 各个地方羊肉的味道和肉质都有区别，如果担心味道腥、膻，则可以适当的多加些洋葱、五香粉，或者延长腌制时间。

### 举一反三：

不仅仅是羊肉可以这么做，猪里脊、鸡翅、鲜虾、鱼肉都可以这样烤制。

**食材：** 新鲜羊肉1000g（腿肉最好）、洋葱（小的半个）

**调味品：** 小茴香籽1茶匙、五香粉1茶匙、辣椒粉4茶匙、花椒面1茶匙、白糖4茶匙、酱油2茶匙、精盐3～4茶匙、孜然粉3茶匙

### 做菜顺序：

① 羊肉剔去白色的筋切成厚为1cm，长约3～4cm的块，最好选肥瘦相间的肉块，这样比较香，如果实在担心油质，可以先将肥肉剔下来。

② 洋葱切成末放入到羊肉块里，加入1茶匙五香粉、1茶匙小茴香籽、2茶匙酱油、4茶匙白糖、1茶匙花椒面、4茶匙精盐拌匀。

③ 拌好的羊肉盖上保鲜膜放入冰箱，腌制一晚上味道会最好，中间要取出翻拌几次。

④ 竹签提前刷上一层食用油，将腌好的羊肉抖去表面的调料，小心的穿在签子上，注意肥瘦的搭配。

⑤ 穿好的羊肉可以放在烤箱里烤制，也可以架在自家的烤炉、电炉上，只要是明火加热的都可以。

⑥ 一面变色后要注意翻面，烤到羊肉块变小，表面不再出水时再添加辣椒粉、孜然粉即可。

第**12**道 **烤韭菜**

### 吕老师叮咛

① 韭菜有强肾壮阳之功效、口感鲜香爽口，不仅是男人下酒健身的好菜，也是女孩子们喜欢吃的一种小吃。

② 韭菜表面刷油是此菜成功的关键。

③ 为了避免把韭菜烤糊，建议韭菜表面盖一层生菜叶。

**食材：** 粗杆的韭菜250g（以每根签子18～20根为标准）

**调味品：** 蒜蓉辣酱3茶匙、椒盐1/2茶匙、孜然粉和辣椒粉各1茶匙、色拉油适量

**做菜顺序：**

① 把韭菜洗净以每根签子18～20根为标准串串，然后两头都裁齐，这样既好看也很方便操作。

② 把韭菜串先刷油，放在烤箱里烤制，等韭菜开始变软（一般2分钟韭菜就软了），取出韭菜翻面继续烤。这样反复几次才能使每串韭菜都烤制均匀。

③ 韭菜烤好后刷上1层蒜蓉辣酱，再把椒盐1/2茶匙、孜然粉和辣椒粉各1茶匙均匀撒上，这样美味诱人的烤韭菜就好了。

**举一反三：**

蒜薹、茴香等蔬菜也可以用这种方法烤。

# 第13道 意大利烤土豆

**吕老师叮咛**

① 吃的时候要把土豆切开，如果口味轻还可以蘸椒盐哟!

② 这是非常简单易做的菜肴，你会非常喜欢吃的。

**食材**：新鲜土豆3个（约500g）

**调味品**：精盐1茶匙、椒盐粉2茶匙、芝士片6张（超市可以买到）

**做菜顺序**：

① 先将3个土豆去皮洗净，放在高压锅里3～4分钟，然后取出。

② 土豆表面撒上少许精盐，然后再每个土豆上盖1张芝士片。

③ 烤箱到220摄氏度时放入土豆，待芝士片融化后取出。

④ 把剩余的3张芝士片也分别放在烤制的土豆上，继续烤。

⑤ 待土豆形状像面包时，意大利烤土豆就烤好了。

**举一反三**：

芋头、地瓜这么做效果也不错哟!

# 烤蒜薹

第**14**道

**吕老师叮咛**

① 蒜薹外皮含有丰富的纤维素，可刺激大肠排便，调治便秘。多食用蒜薹，能预防痔疮的发生，降低痔疮的复发次数，并对轻中度痔疮有一定的治疗效果。

② 消化能力不佳的人宜少吃；过量食用会影响视力；有肝病的人过量食用，可造成肝功能的障碍。

③ 把蒜薹用水焯一下再烤可以节省很多时间。

**食材**：蒜薹250g

**调味品**：蒜蓉辣酱3茶匙、椒盐1/2茶匙、孜然粉和辣椒粉各1茶匙、色拉油适量

**做菜顺序**：

① 把蒜薹洗净以每根签子10根为标准串串，然后两头都裁齐，这样好看也很方便操作。

② 把蒜薹串先刷油，放在烤箱里烤制，等蒜薹开始变软（一般4分钟蒜薹就软了），取出蒜薹翻个继续烤。这样反复烤几次才能使每串蒜薹都烤制均匀。

③ 蒜薹烤好后刷上1层蒜蓉辣酱，再把椒盐1/2茶匙、孜然粉和辣椒粉各1茶匙均匀撒上，这样美味诱人的烤蒜薹就好了。

**举一反三**：

韭菜、茴香等蔬菜也可以用这种方法烤。

# 第15道 西式烤蒜花

**吕老师叮咛**

① 被烤的大蒜，里边的机体组织会破坏掉！所以起不到抗癌作用了，但能起到防止拉肚子的作用。

② 为了避免大蒜在长时间的烘烤中流失过多的水分，烤的时候要盖一层锡纸。

**食材：** 新鲜大蒜2个

**调味品：** 椒盐粉1茶匙、橄榄油1茶匙

**做菜顺序：**

① 把2个大蒜分别切去跟，刀的切口朝上。

② 烤箱设成180摄氏度，先预热一下。

③ 大蒜皮周围及其切口处撒些椒盐，再涮上橄榄油，将大蒜放在铺有锡纸的烤盘中。

④ 在大蒜表面盖上一层锡纸，放入预热好的烤箱中层，以180摄氏度烤15～20分钟。然后取出拿掉表层锡纸，这样漂亮的西式烤蒜花就可以吃了。

**举一反三：**

把大蒜用竹签串串烤也挺好的。

# 第16道 烤茄子

### 吕老师叮咛

① 用微波炉加热茄子是为了迅速让茄子中的水分蒸发，以便缩短烤制的时间。

② 在蒜泥中，调入橄榄油和香油，混合后的味道更加丰富，在烤制的时候，由于里面有油，也不会让茄子的口感干涩。

**食材**：长条茄子2根

**调味品**：精盐1茶匙、糖1茶匙、橄榄油3茶匙、香油1茶匙、小葱1根、大蒜5瓣、青红小辣椒各2根

**做菜顺序**：

① 将茄子洗净，用刀竖着切开3/4（不要切断），放入微波炉中，高火力加热4分钟。

② 将茄子拿出来后，平放在烤盘上，放入烤箱用180度烤10分钟后拿出。

③ 将大蒜压成泥，调入精盐1茶匙、糖1茶匙、橄榄油3茶匙、香油1茶匙、大蒜5瓣、切碎的青红小辣椒，小葱1根。

④ 把调好的蒜汁填入茄子的中间，放入烤箱，继续烤10分钟即可。

**举一反三**：

同样的方法也适用于茭瓜等食材。

第 **17** 道 西式烤苹果

### 吕老师叮咛

① 根据苹果的大小，烤制的时间会有所不同。如果苹果个头较大，需要延长烤焙的时间。

② 烤苹果要趁热吃。如果烤好没有及时吃，可以把冷却的苹果放进微波炉重新加热一下再吃。

③ 如果你想多放点馅，可以多准备一些馅料，并把洞挖大一点。

### 举一反三：
梨、香蕉等水果也适合这种烤的方法。

**食材：** 苹果3个（约500g）、葡萄干适量

**调味品：** 软化黄油3茶匙、烤过的杏仁1茶匙、肉桂粉1/4茶匙、红糖1茶匙、细砂糖1茶匙、白兰地10茶匙

### 做菜顺序：

① 葡萄干用白兰地浸泡2个小时以上，然后滤干水分，把葡萄干、软化的黄油、烤过的杏仁、肉桂粉、红糖混合均匀，制成陷料。

② 苹果洗干净，在整个苹果的1/4处把顶部切掉。用小刀在苹果核周围划一圈，然后将果核部分挖去（不要将底部挖穿哟）。

③ 在挖出的洞里填入葡萄干馅，把切下来的顶部重新盖好。用牙签在苹果上随意扎上一些小孔（以利于苹果更好的吸收馅料的滋味）。

④ 在烤盘上涂上一层软化的黄油，把苹果放在烤盘上。将剩余的黄油抹在苹果顶部，并在苹果顶部撒上细砂糖。

⑤ 烤盘里倒入冷水，厚度大约半厘米。把烤盘放入烤箱，180摄氏度烤30～40分钟，直到苹果完全变软，菜就好了哟。

第18道 **烤菜花**

**吕老师叮咛**

花菜质地细嫩，清甜爽脆，含纤维质较少，味甘鲜美，食后易于消化，由于其质地细嫩，不宜加热过久，以免软烂而失去风味。

**食材**：菜花500g

**调味品**：椒盐粉2茶匙、辣椒粉2茶匙、黑胡椒碎1茶匙、橄榄油适量

**做菜顺序**：

① 先将菜花洗净用手掰成小块。

② 把菜花放进烤盘里，浇上橄榄油（比炒菜用的量稍微多一点），撒上椒盐粉2茶匙、辣椒粉2茶匙、黑胡椒碎1茶匙拌匀。平铺在烤盘里，只铺一层，不要堆起来。

③ 烤箱调到200摄氏度预热，然后把菜花放进烤箱里烤20～25分钟。这样好吃的菜花就烤好了。

**举一反三**：

很多蔬菜都可以这样烤着吃，比如芦笋、茄子、蘑菇、土豆、西兰花、扁豆、西葫芦、南瓜等。注意不要切成薄片，一般切小块或粗条就行，烤的温度、时间和上面的烤菜花差不多。在烤蘑菇时，除了油、盐、黑胡椒外，还可以放一大勺香醋，别有一番滋味。

# 第19道 烤金针菇

### 吕老师叮咛

① 可以根据自己的喜好调整烤的
时间。

② 简易烤箱是指没有温度挡的家用
烤箱。

**食材：** 新鲜金针菇500g

**调味品：** 蒜蓉辣酱3茶匙、椒盐1/2茶匙、孜然粉和辣椒粉各1茶匙、色拉油
适量

#### 做菜顺序：

① 先将新鲜金针菇洗净切去老根，然后滤掉水分。

② 蒜蓉辣酱3茶匙、椒盐1/2茶匙、孜然粉和辣椒粉各1茶匙、色拉油与新鲜金针菇
拌均匀，用锡纸包裹严。

③ 把用锡纸包裹严的金针菇放入简易烤箱中，通上电。

④ 待20分钟左右取出，打开锡纸。这样一道香气扑鼻的美食就可以吃了。

#### 举一反三：

很多不爱出水的蔬菜切成丝后，都可以用锡纸包裹严再烤。

第**20**道 **烤杏鲍菇**

### 吕老师叮咛

① 用开水烫透可以节省时间。

② 杏鲍菇用锡纸包裹再烤也可以。

③ 杏鲍菇一般人群均可食用，特别适合心血管疾病患者、癌症患者、体弱人群、便秘者、食欲不振、消化不良者食用。

**食材**：杏鲍菇500g

**调味品**：蒜蓉辣酱3茶匙、椒盐1/2茶匙、孜然粉和辣椒粉各1茶匙、色拉油适量

**做菜顺序**：

① 先将杏鲍菇洗净表面切几个刀纹，然后用开水烫透（约1分钟）。

② 杏鲍菇表面均匀的撒上椒盐1/2茶匙，腌制10分钟；然后在表面再刷上1层色拉油。

③ 把经过腌制的杏鲍菇放入简易烤箱里，通上电。

④ 待20~30分钟后取出，刷上蒜蓉辣酱，再撒上孜然粉和辣椒粉即可。

**举一反三**：

白灵菇也适合这种烤的方法哟!

# 超简单的
# 微波炉美食

Part 5

第 1 道 **聪明人荷包蛋**

### 吕老师叮咛

① 盘子要小的平的，这样才能均匀爱熟哟!

② 牙签要从蛋黄表面扎到小盘底，一定要扎透。因为蛋黄表面有一层薄膜，不扎破加热会在微波炉里爆开的哟!

③ 聪明人荷包蛋又简单又漂亮，就是大厨也很难做得这么圆。

**食材：** 鸡蛋1个

**调味品：** 精盐1/5茶匙

**做菜顺序：**

① 将一个鸡蛋打在小盘里，注意不要搅动哦!

② 用牙签在蛋黄上扎十几个孔，使蛋黄在加热时里面的空气能跑出来。

③ 把精盐均匀地撒在鸡蛋表面。

④ 放在微波炉里用"中低温挡"加热45～50秒，1个没有油的荷包蛋就好了哟!

**举一反三：**

用咸的生鸡蛋、生鸭蛋也是可以的哦。

第 **2** 道 # 微波带子

**吕老师叮咛**

① 烹调时不要放味精，因为带子本身鲜味非常纯正。放味精会影响菜肴的味道。

② 带子是广东话的叫法，北方称鲜贝。

③ 带子含有丰富的蛋白质，非常有利于人体吸收。营养价值极高，是珍贵的海产食品。

**食材：** 带子250g

**调味品：** 鲜味酱油1茶匙、精盐1/3茶匙、大葱白1块、姜2片、温水适量

**做菜顺序：**

① 先将鲜带子洗净放入碗里。

② 把鲜味酱油1茶匙、精盐1/3茶匙、大葱白1块、姜2片和温水全部倒入装有鲜带子的碗里。

③ 把微波炉调到"高温"挡，加热4～5分钟。

④ 待4～5分钟后取出碗，菜就好了哟！

**举一反三：**

带壳的贝类也可以用同样的方法做哟！

# 第3道 聪明人葱油茄子

**吕老师叮咛**

① 这是一道非常简单好吃的菜肴，你还等什么？马上试试吧！

② 茄子的选择要考虑老嫩，嫩的茄子烤出来口味香甜，老的茄子烤出来口感不佳。

③ 茄子性味寒，有散血瘀、消肿止疼、治疗寒热、祛风通络和止血等功效。

**食材：** 长条茄子500g

**调味品：** 鲜味酱油1/4杯、醋1/6杯、白糖1茶匙、温水1/6杯、色拉油2茶匙、大葱丝适量

**做菜顺序：**

① 将长条茄子洗净切片，放在带有气孔的微波炉专用碗里。

② 把鲜味酱油1/4杯、醋1/6杯、白糖1茶匙和温水1/6杯也倒在碗里，盖上盖。

③ 把微波炉调到"高温"挡，加热7分钟取出。

④ 再把色拉油2茶匙、大葱丝放进同一个碗里，继续加热2分钟。这样葱油茄子就可以了。

**举一反三：**

甘蓝、白菜都适用这种方法哟！

第**4**道 脆皮基围虾

**吕老师叮咛**

每种微波炉的功率不同，请根据自家微波炉的功率来调整制作时间。

**食材**：基围虾250g

**调味品**：精盐1茶匙

**做菜顺序**：

① 基围虾洗净后剪去须，撒1茶匙精盐拌匀。

② 把基围虾放入微波容器中，"高温"挡加热5分钟，取出倒掉容器中的汁水。

③ 把基围虾一个个平铺在微波炉的转盘上（虾不要叠起来，平铺一层），用"高温"挡加热5分钟取出把基围虾翻面。

④ 再用"高温"挡加热5分钟，直到基围虾表面干爽，肉质捏上去尚有弹性，菜就好了。

**举一反三**：

其他个头比较小的虾也可以这样做。

# 第5道 聪明人炸虾片

### 吕老师叮咛

① 虾片要平铺不要堆放，不然会有糊的或者有没熟的。

② 虾片用色拉油拌匀是此菜成功的关键。

③ 喜欢甜味的人，建议食用时蘸少许白砂糖，这样味道会更美哟。

**食材：** 虾片100g

**调味品：** 色拉油2茶匙

**做菜顺序：**

① 将虾片用色拉油拌匀。

② 把虾片平铺在容器里，"高温"挡加热1分钟左右即可（至于精确时间，根据你家微波炉的功率和虾片的质量，摸索几次就可以掌握了）。

**举一反三：**

干蹄筋的泡发就可以用这种方法（干蹄筋微波炉里加热膨化后用热水泡回软即可）。

第**6**道 **盐爆花生米**

**吕老师叮咛**

在第3步用"高温"挡加热6～7分钟的过程中，一定要把花生米拿出2～3次上下翻拌均匀，再继续加热。否则花生米受热不均，有的焦糊，有的没有熟。

**食材：** 花生米250g

**调味品：** 大料1个、花椒粒1茶匙、精盐1～2茶匙、大葱白1块、姜1片、温水1/2杯

**做菜顺序：**

① 先将花生米洗净，放入微波炉专用碗。

② 把大料1个、花椒粒1茶匙、精盐1～2茶匙、大葱白1块、姜1片和温水全部倒入装花生米的碗里（碗要加盖）。用"高温"挡加热3～4分钟取出，滤去水分。

③ 再将滤去水分的花生米放进微波炉里（此时的碗不要加盖），用"高温"挡加热6～7分钟即可。

**举一反三：**

带皮花生也可以这样做。

美味家常菜

第**7**道 糖炒栗子

### 吕老师叮咛

① 放栗子的微波炉专用盒子，在制作过程中，微波炉专用盒盖上的透气孔一定记得要打开，否则盒子内的热气无法散发出来，有可能会发生小爆炸的哦！

② 由于不同品牌的微波炉功率不同，请根据自家微波炉功率来调整制作时间。

**食材：** 板栗250g

**调味品：** 白糖3茶匙、干桂花1茶匙、色拉油适量

**做菜顺序：**

① 板栗洗干净，放在砧板上，用刀把每个栗子的皮都切破（深度4～5mm的口子）。

② 把全部栗子放进一个微波炉专用的容器中，盖上盖子，把盖子上的透气孔打开。

③ 把微波炉调到"高温"挡，加热2分钟，取出打开盖子，这时候栗子已经开口了。放1小勺食用油和3勺白糖，再撒点干桂花，盖上盖子上下摇晃，让食用油和白糖能均匀包裹在栗子表面。

④ 盖子上的透气孔打开，放入微波炉再用"高温"挡加热2～3分钟左右即可.

**举一反三：**

带皮花生也可以用这种方法制作。

第**8**道 豉汁排骨

### 吕老师叮咛

① 清水冲掉血水是此菜的关键。

② 加热时间的长短因食材的份量而异。

③ 豆豉之所以惹人喜爱，因为它不仅味美可口，而且营养丰富。现代医学认为，豆豉具有和胃、除烦、解腥毒、去寒热之功效。

**食材：** 猪排骨1000g

**调味品：** 豆豉1/3杯、精盐1茶匙、鲜味酱油5茶匙、白糖2茶匙、料酒2茶匙、蒜蓉5茶匙、色拉油适量

### 做菜顺序：

① 将猪排骨切小块洗净，再用清水冲掉血水，然后滤干水分。

② 排骨里加白糖、精盐、鲜味酱油、料酒腌10分钟。

③ 在微波炉专用玻璃碗里放入色拉油、蒜蓉和豆豉，用"高温"挡加热3分钟，爆出香味。

④ 将腌制好的排骨倒入玻璃碗里，"高温"挡加热5分钟。

⑤ 5分钟后取出玻璃碗，用勺子翻拌排骨一下，继续用"高温"挡加热5分钟即可。

### 举一反三：

豉汁鸡翅也是一道好吃的美味哟!

第 **9** 道 **爆米花**

**吕老师叮咛**

① 牛油能够增加香气，如果家里没有牛油也可以不放。

② 喜欢咸味的人可以把白糖换成精盐。

**食材：** 微波玉米粒1袋

**调味品：** 牛油1茶匙、白糖3～5茶匙

**做菜顺序：**

① 准备一个能放进微波炉的大玻璃碗。

② 玻璃碗里倒入半碗干燥的微波玉米粒和1茶匙牛油、3～5茶匙白糖拌均匀。

③ 玻璃碗加个盖子然后放入微波炉用"高温"挡，加热。

④ 当你开始听到爆裂声，到爆裂声开始变得比较小，这个过程之后取出玻璃碗（总过程可能需要3～4分钟左右，主要听声音而定）。一大碗香甜可口的爆米花就好了。

**举一反三：**

虾片也可以这么做哟!

第 **10** 道 清蒸鲍鱼

**吕老师叮咛**

① 鲜鲍鱼即为活鲍鱼。这种鲜鲍鱼，在用刷子刷洗其壳后，将鲍鱼肉整粒挖出，切去中间与周围的坚硬组织，以粗盐将附着的黏液清洗干净。活鲍鱼在清洁处理后，一般不需刻意烹调，就可品尝到绝佳的风味。

② 这是一道非常简单易学的鲍鱼菜肴，你还等什么？马上试试吧！

**食材：** 鲜鲍鱼8个

**调味品：** 鲜味酱油1/4杯、醋1/6杯、白糖1茶匙、温水1/3杯、色拉油2茶匙、大葱丝适量

**做菜顺序：**

① 先将鲍鱼洗净，再放入开水里烫透（大约1分钟）。

② 把烫透的鲍鱼放进碗里。

③ 把鲜味酱油1/4杯、醋1/6杯、白糖1茶匙和温水1/3杯倒在鲍鱼碗里，盖上盖。

④ 把微波炉调到"高温"挡，加热6分钟取出。

⑤ 再把色拉油2茶匙、大葱丝放进同一个碗里，继续加热2分钟。这时美味的清蒸鲍鱼就做好了。

**举一反三：**

很多贝壳食材同样也可以这样烹调哟！

第**11**道 咸蛋南瓜

**吕老师叮咛**

① 这可是我总结过的最简单的做法了，好好吃哦！

② 咸蛋黄酱的制作是此菜成功的关键。

③ 南瓜含有淀粉、蛋白质、胡萝卜素、维生素B、维生素C和钙、磷等成分，其营养丰富，不仅有较高的食用价值，还有着不可忽视的食疗作用。

**食材**：小南瓜1个（约400g）

**调味品**：咸鸭蛋黄4只、色拉油5茶匙、盐1/2茶匙、水适量、香葱段少许

**做菜顺序**：

① 把咸鸭蛋黄4只、色拉油5茶匙、盐1/2茶匙和适量水放在榨汁机里打散成咸蛋黄酱。

② 将南瓜去瓤洗净，切成五六厘米的薄片放在带有气孔的微波炉专用碗里，盖上盖。把微波炉调到"高温"挡加热5分钟左右取出。

③ 把咸蛋黄酱倒入装有南瓜的碗中上下翻拌，使酱与南瓜均匀。

④ 继续加热5～7分钟取出装盘，南瓜上撒一些香葱段。一盘美食就可以享用了。

**举一反三**：

虾肉、蟹肉等食材同样适用此菜的方法。

第**12**道 # 葱爆毛蚶

### 吕老师叮咛

① 用黄酒腌一会儿贝壳有助于贝壳肌的剥落。

② 新鲜的毛蚶有海腥味，千万不要选择有异味的毛蚶。

③ 毛蚶与芹菜相克，同食会引起腹泻。

**食材：** 鲜毛蚶1000g

**调味品：** 蒸鱼豉油3茶匙、精盐1/2茶匙、胡椒粉1茶匙、黄酒1茶匙、色拉油2茶匙、葱花少许

**做菜顺序：**

① 毛蚶洗净，用黄酒腌一会儿（有助于贝壳肌的剥落）。再用水焯一下，然后马上捞出，滤去水分放于盘子中（留少许汤）。

② 把蒸鱼豉油、精盐，胡椒粉和少许毛蚶汤调成汁，浇在毛蚶上，覆上保鲜膜，放入微波炉。

③ 微波炉调到"高温"挡，加热5分钟取出。

④ 毛蚶撒上葱花，淋上热油即成葱香四溢的美味了哟！

**举一反三：**

文蛤、海螺也可以这样做。

# 第13道 麻辣豆腐

### 吕老师叮咛

此菜口感微麻辣而不失清淡，营养又健康，适合减肥的MM们。

### 举一反三：

做一个麻辣鸡丁也挺好的哟!

**食材：** 豆腐2块、瘦牛肉50g、青蒜片50g

**调味品：** 四川郫县豆瓣酱1/4杯、辣椒粉4茶匙、酱油1/5杯、料酒3茶匙、四川豆鼓3茶匙、味精1茶匙、湿淀粉和水适量、花椒粉2茶匙、葱花2茶匙、姜末2茶匙

### 做菜顺序：

① 先将瘦牛肉洗净切丁，然后用开水烫透（大约1分钟），滤去水分。

② 把四川郫县豆瓣酱1/4杯、辣椒粉4茶匙、酱油1/5杯、料酒3茶匙、四川豆鼓3茶匙、味精1茶匙、湿淀粉和水适量、花椒粉2茶匙、葱花2茶匙、姜末2茶匙、青蒜片0.1斤和适量水放在一起调和均匀。

③ 豆腐切方丁与瘦牛肉放入微波炉专用碗中。

④ 把拌匀的调料放入微波炉中，用"中低"挡加热1.5分钟，取出倒在豆腐上，稍微拌一下，重新放入微波炉里继续加热3～5分钟分钟即可取出食用。

第 14 道 **培根披萨**

### 吕老师叮咛

① 由于不同品牌的微波炉功率不同，请根据自家微波炉功率来调整制作时间。

② 一层一层铺加奶酪是我多次制作披萨总结出来的，这样做出来的所有的食材能够更紧密地结合在一起。

#### 举一反三：

鲈鱼、鲫鱼、鳜鱼的肉也可以做鱼肉披萨。

**食材：** 9寸冷冻披萨饼坯1张（超市里可以买到）、培根200g、白蘑菇100g、小番茄3个、洋葱1个，大蒜头1个

**调味品：** 番茄沙司2茶匙、精盐1茶匙、白胡椒粉1茶匙、奶酪100g（奶酪又称芝士）

#### 做菜顺序：

① 先将9寸冷冻披萨饼坯自然解冻。

② 白蘑菇、小番茄分别洗净切片，培根洗净、奶酪切成丝或者片、洋葱切碎。

③ 将锅加热，放入切碎的洋葱、大蒜头和白蘑菇片稍煎，再倒入培根、小番茄中火温煎5～8分钟，加精盐和白胡椒粉调味，倒在碗里备用。

④ 把披萨饼坯放进盘中，然后在披萨饼坯上刷一层番茄沙司，铺上煎好的洋葱、大蒜头、白蘑菇、培根、小番茄和奶酪片。

⑤ 微波炉调到"高温"挡，加热2分钟后取出，上面再撒上一层奶酪丝，重新放入微波炉里继续加热2分钟取出，即可食用。

# 第15道 红烧鸡块

**吕老师叮咛**

用微波炉反复加热是此菜的制作关键。

**举一反三：**
你也可以用猪排骨试一试呀!

**食材：** 鸡翅（或者鸡腿）500g、辣椒1个

**调味品：** 鲜味酱油1/3杯、老抽酱油1茶匙、料酒1/6杯、白糖2茶匙、温水1/3杯、色拉油2茶匙、葱花1茶匙、姜末1茶匙、大料1个

**做菜顺序：**

① 鸡翅用清水浸泡约20分钟，冲洗干净，然后用开水烫透（大约1分钟）捞出。

② 色拉油2茶匙、葱花1茶匙、姜末1茶匙、大料1个和鸡翅放入带有气孔的微波炉专用碗里，盖上盖。

③ 微波炉调到"高温"挡，加热1分钟后取出，再把鲜味酱油1/3杯、老抽酱油1茶匙、料酒1/6杯、白糖2茶匙、温水1/3杯放入带有气孔的微波炉专用碗里盖上盖。

④ 微波炉调到"高温"挡，加热5分钟后取出，添加洗净切块的辣椒，稍微拌一下，重新放入微波炉里继续加热5~7分钟取出，即可食用。

# 第16道 聪明人蘑菇汤

📖 **吕老师叮咛**

① 加热的时间要根据口蘑的大小进行调整。

② 每人每天早餐喝3个口蘑汤可以增强人的免疫功能。此汤在韩国非常流行。

**食材：** 口蘑9个（按3口之家每人3个）

🥄 **调味品：** 精盐1/3

🍳 **做菜顺序：**

① 将口蘑洗净，去蒂翻个，使其凹面向上。

② 把精盐分别均匀撒在9个口蘑上面，并用保鲜膜盖住凹面，再把口蘑放进微波炉里。

③ 微波炉调到"高温"挡，加热1～3分钟后取出，这时蘑菇凹面里就会出现一些非常纯的口蘑汤。

④ 食用时趁热喝掉口蘑汤即可。

✏️ **举一反三：**

目前尚无发现也可以这么做的食材，你开发一下脑筋，有可能会有新发现呀！

第17道 **油焖尖椒**

**吕老师叮咛**

① 煎尖椒之前用牙签把尖椒先扎一些小眼,防止崩油。

② 如果怕辣也可以把里面的辣筋去掉。

**食材:** 尖椒250g、猪肉馅150g

**调味品:** 鲜味酱油1/5杯、醋3茶匙、精盐1茶匙、白糖1茶匙、温水1/3杯

**做菜顺序:**

① 把猪肉馅加入1/2茶匙精盐腌一会。尖椒切去蒂洗净擦干水分。

② 把腌好的肉馅添入尖椒里。

③ 锅内加油烧热,把尖椒放入,小火盖盖煎软取出。放入带有气孔的微波炉专用碗里。

④ 把鲜味酱油1/5杯、醋3茶匙、精盐1/2茶匙、白糖1茶匙、温水1/3杯和适量水也放进带有气孔的微波炉专用碗里盖上盖。

⑤ 微波炉调到"高温"挡,加热5分钟后取出,稍微拌一下,重新放入微波炉里继续加热2~3分钟取出,即可食用。

**举一反三:**

猪肉馅也可以用牛肉馅、羊肉馅代替哟!

第 **18** 道 **蒜苗炒腊肉**

### 吕老师叮咛

① 如果喜欢吃味道比较重一点的，可以再加点盐。因为肥肉本身制作的时候就有比较重的盐味了，所以这里没有再放多的盐。

② 蒜苗具有明显的降血脂及预防冠心病和动脉硬化的作用，并可防止血栓的形成。

**食材**：腊肉150g、蒜苗400g

**调味品**：酱油3茶匙、白糖、绍酒各1茶匙、红辣椒2个、色拉油4茶匙

### 做菜顺序：

① 将蒜苗洗净切段，红辣椒切段。

② 将腊肉切薄片，放入少许水，放入带有气孔的微波炉专用碗里，微波炉调到"高温"挡，加热3～4分钟后取出。

③ 另取一个碗把红辣椒段、色拉油放进去，用"高温"挡，加热2分钟。

④ 最后把蒜苗、腊肉与酱油、白糖、绍酒一起倒入装有红辣椒段的碗里拌匀，微波炉调到"高温"挡，加热3～4分钟后即可。

### 举一反三：

韭菜也适合这种做法哟!

# 第19道 鱼香肉丝

## 吕老师叮咛

① 如果嫌麻烦可以到超市买"鱼香肉丝酱"就非常简单了。

② 肉丝嫩的诀窍就是要用淀粉和蛋清腌一下。

③ 郫县豆瓣酱、生抽、老抽都比较咸，盐的用量要酌减或者不放。

### 举一反三：

还可以做鱼香茄子、鱼香白菜等。

**食材：** 猪瘦肉250g、胡萝卜100g、青椒100g、黑木耳2朵

**调味品：** 生抽1/4杯、老抽1茶匙、料酒2茶匙、水淀粉3茶匙、郫县豆瓣酱5茶匙、泡椒2茶匙、醋2茶匙、糖3茶匙、蛋清1个，色拉油1/2杯、香油、葱、姜、蒜丝各少量

### 做菜顺序：

① 先将猪瘦肉洗净切成肉丝，再用料酒、水淀粉，蛋清拌匀后，腌制一下。胡萝卜、青椒、黑木耳分别洗净切细丝。

② 在微波盒中倒入色拉油，加入葱姜、蒜丝拌一下，入微波炉"高温"挡加热1分钟取出，加入腌好的猪肉丝、胡萝卜丝、青椒丝、黑木耳丝倒入郫县豆瓣酱、泡椒碎、老抽、生抽、醋、料酒、糖的混合液，翻拌均匀。

③ 最后放进微波炉，盖子稍微错开，用"高温"挡加热4分钟取出，加少许香油即可。

第20道 生炒鸡

### 吕老师叮咛

① 加热时间根据微波炉的功率不同略有不同。

② 鸡块焯水是此菜制作成功的关键。

③ 北方人制作生炒鸡时喜欢用一些甜面酱调味。

**食材：** 白条鸡半只、辣椒1个

**调味品：** 鲜味酱油1/3杯、料酒2茶匙、白糖3茶匙、花椒、葱花、姜末、蒜片各1茶匙、大料1个、水1/2杯、色拉油1/4杯

**做菜顺序：**

① 先把鸡洗净，在菜板上剁成小块。用开水烫透后捞出沥去水分；辣椒洗净切块。

② 在微波盒中倒入色拉油，加入花椒、葱花、姜末、蒜片各1茶匙、大料1个拌一下，入微波炉"高温"挡加热1分钟取出，加入切好的鸡块、鲜味酱油1/3杯、料酒2茶匙、白糖3茶匙和水1/2杯的混合液，翻拌均匀。

③ 最后放进微波炉，盖子稍微错开，用"高温"挡加热5分钟取出。

④ 把鸡块翻个，添加辣椒快，重新放进微波炉里继续加热5分钟即可。

**举一反三：**

有很多肉食原料都可以用这种方法制作。

吕老师的
# 私房美味

Part **6**

第 **1** 道 # 酸奶芦荟

### 吕老师叮咛

采下新鲜的芦荟（最好是长了两三年以上的大芦荟，营养价值较高）的叶片，把皮剥掉，用清水冲洗一遍凝胶（透明的胶状物），目的是洗去对有下泄作用的大黄素。然后把芦荟凝胶切成小块，这样你就得到芦荟果丁了。然后把果丁放入酸奶，就可以了。还可以根据自己的口味加点蜂蜜之类的来调一下口味。

**食材：**芦荟250g

**调味品：**酸奶1瓶、白糖1茶匙

**做菜顺序：**

① 新鲜的芦荟洗净去皮，在用清水冲洗一遍凝胶（透明的胶状物），然后根据自己的需要可以切粒、片、条等形状。

② 将芦荟放在开水中煮熟，直到没有黏稠的液体（大约1分钟）。

③ 用冷水冲泡，直到完全冷却，然后用白糖1茶匙腌2分钟。

④ 最后把酸奶与芦荟混合放在一起即可。

**举一反三：**

吃木瓜时一样可以把木瓜肉丁放进酸奶里，木瓜酸奶味道也挺不错的。

美味家常菜

第2道 **蓝莓山药**

**吕老师叮咛**

① 用来做蓝莓山药的山药要用比较面的那种，买山药的时候问一下，一般来说口感比较面的山药表面毛刺多，口感脆的山药表面较光滑。

② 山药黏液会引起皮肤过敏发痒，山药去皮的时候最好戴上一次性手套。山药片切薄一点更好蒸透。

③ 你也可以在山药泥中加沙拉酱，增加山药泥的润滑口感和香味。

**食材：**山药1根

**调味品：**蓝莓果酱1/2杯（约1瓶）、清水适量、冰糖3茶匙、淡奶油1茶匙、盐1/4茶匙

**做菜顺序：**

① 将山药洗去外层的土，用刮刀刮去山药的外皮，然后用水清洗干净。

② 蒸锅中倒入水，大火煮开后，放入切成段的山药，用大火蒸20分钟，直到山药变软。然后取出放在案板上，先用刀按压碎，再放入碗中用勺子压成更细腻的泥状，不要有结块。

③ 小锅中倒入清水，加入蓝莓果酱和冰糖，用大火煮开后，转成小火继续熬制，直到蓝莓酱和清水，变得黏稠，倒出冷却。

④ 在山药泥中加入盐和淡奶油充分搅匀。将裱花嘴放入裱花袋中，再将山药泥放入，然后挤入碗中。最后，淋上调好的蓝莓酱即可。

**举一反三：**

我个人觉得用草莓果粒酱或其他果酱也能做出不同口味的山药泥，味道应该也不赖。

**食材：** 山药1根、蓝莓2粒

**调味品：** 酸奶1瓶、白糖1茶匙

**做菜顺序：**

① 将山药洗去外层的土，用刮刀刮去山药的外皮，然后用水清洗干净。

② 蒸锅中倒入水，大火煮开后，放入切成段的山药，用大火蒸20分钟，直到山药变软。

③ 将蒸好的山药放入搅拌机中，加入酸奶和白糖搅拌均匀。

④ 倒入碗中，点缀一两粒蓝莓。这样简单又好吃的山药奶昔就做好了。

**举一反三：**

奶昔里也可以添加草莓、香蕉、芒果等。这样做出来的山药奶昔味道会更好。

第**3**道 # 山药奶昔

**吕老师叮咛**

据说"山药"在日本被称为青春不老药，原因便在于山药里含有可以促进荷尔蒙合成、修复皮肤胶原纤维和提升保湿功能的物质，所以可以明显改善皮肤状况。

第**4**道 # 水果沙拉

**吕老师叮咛**

① 如果你喜欢甜味，沙拉酱里还可以放一些白糖。

② 水果含有丰富的维生素C，维生素A以及人体必需的各种矿物质，大量的水分和纤维质，可促进健康，增强免疫力。

**食材：** 苹果1个、猕猴桃1个、橘子1个、圣女果5个、巧克力装饰件

**调味品：** 沙拉酱1小袋

**做菜顺序：**

① 先将所有水果洗净切块。

② 把沙拉酱与水果块混合拌均匀装盘。

③ 用巧克力装饰件点缀即可。

**举一反三：**

其他水果也可以做水果沙拉哟!

## 第5道 千岛蔬菜沙拉

**食材：** 生菜叶3片、苦苣菜适量、相思菜适量、紫甘蓝叶2片

**调味品：** 千岛酱1小袋、柠檬1个

**做菜顺序：**

① 生菜叶、紫甘蓝分别洗净，再用手撕成块。苦苣菜、相思菜去根洗净。

② 柠檬挤出汁，倒入装有清水的盆里。

③ 所有蔬菜放进柠檬水里浸泡5分钟。

④ 取出蔬菜，沥去水分装盘。

⑤ 最后把千岛酱挤在蔬菜上即可。

**举一反三：**

千岛水果沙拉也比较好吃哟!

### 吕老师叮咛

① 蔬菜放进柠檬水里浸泡是关键，这样做可以增加蔬菜清香的气味。

② 千岛酱适合制作各种蔬菜、水果、火腿及海鲜沙拉。

---

## 第6道 蔬菜沙拉

**食材：** 生菜叶3片、苦苣菜适量、木耳菜2片

**调味品：** 法国油醋汁1/4杯

**做菜顺序：**

① 生菜叶、木耳菜分别洗净，再用手撕成块。苦苣菜去根洗净。

② 柠檬挤出汁，倒入装有清水的盆里。

③ 所有蔬菜放进柠檬水里浸泡5分钟。

④ 取出蔬菜，沥去水分装盘。

⑤ 食用时蘸法国油醋汁即可。

**举一反三：**

蔬菜沙拉也可以用沙拉酱和这些蔬菜混合拌均匀。

### 吕老师叮咛

法国油醋汁是由精盐、白醋、大蒜米、洋葱米、胡椒粉与橄榄油放在一起，用打蛋器抽打成乳状液而成的。（比例是精盐1：白醋3：大蒜米2：洋葱米2：胡椒粉1：橄榄油6）

第 **7** 道 # 乌梅汤

### 吕老师叮咛

① 做好的酸梅汤一次喝不完，可以在冰箱里放几天。但在常温下，酸梅汤是很容易变质的，如果看到表面有细细的泡沫浮起，就说明已经变质不能喝了。

② 加入甘草的酸梅汤会有涩涩的后味，饮用时放些冰块可以减轻涩味。

③ 新手做出来的酸梅汤，很可能太浓或者太淡，火候和水的比例只有靠多琢磨多尝试了!

**食材：** 干乌梅250g、山楂250g、桂花50g、甘草50g

**调味品：** 水2500g～50000g、冰糖250g～500g、红糖适量（起到染色作用）

**做菜顺序：**

① 将干乌梅和山楂必须先加温水泡开（大约1天）。
② 连同少量的桂花和甘草将泡开的乌梅和山楂用纱布包起来。
③ 在大锅里注满水，放入纱布包，大火烧开。
④ 煮沸后，加入适量的冰糖或者可以起到染色作用的红糖，小火熬煮6～7小时好喝的酸梅汤就做好了。

**举一反三：**
绿豆酸梅汤、丁香酸梅汤就是在此基础上添加了绿豆和丁香哟!

第**8**道 聪明人捞拌菜

### 吕老师叮咛

① 这是一道最近几年酒店非常流行的凉菜。如果掌握了捞拌汁制作方法，在家里做捞拌菜就变得容易了。

② 捞拌汁里还可以放一些香菜末，效果也不错哟。

③ 选择酱油时一定要看是不是鲜味的，否则就会影响菜肴的口味。

**食材**：水发木耳100g、魔芋丝100g、黄瓜100g、金针菇100g

**调味品**：鲜味酱油1/4杯、白醋1/5杯、矿泉水1杯、白糖3茶匙、精盐1茶匙、味精1茶匙、辣椒油5茶匙、香葱丁、泰椒丁各少许

**做菜顺序**：

① 水发木耳洗净去根、魔芋丝洗净、黄瓜洗净切丝、金针菇洗净去根一起放进碗中。

② 把鲜味酱油1/4杯、白醋1/5杯、矿泉水1杯、白糖3茶匙、精盐1茶匙、味精1茶匙、辣椒油5茶匙、香葱丁、泰椒丁全部混合调成捞拌汁。

③ 最后将捞拌汁浇在装有木耳、魔芋丝、黄瓜、金针菇的碗中即可食用。

**举一反三**：

捞拌海鲜也是好吃的凉菜哟!

**食材：** 法棍面包3片、火腿片2片、生菜2片、西红柿1个

**调味品：** 奶酪1片

**做菜顺序：**

① 生菜洗净，西红柿洗净切片。

② 在法棍面包上依次铺上火腿片、奶酪片、西红柿片、生菜即可。

**举一反三：**

三明治中间可以放很多食材，比如煎鸡蛋、煎鸡排、煎鱼排等。

## 第9道 三明治

**吕老师叮咛**

① 原料简单，制作时间很短，富有营养，很适合家庭早餐。

② 另外家里如果没有奶酪也可以不放。

## 第10道 葱香蚕蛹

**吕老师叮咛**

一定要买活的蚕蛹，因为蚕蛹是高蛋白的，容易成为细菌与病毒的温床，黑色的一般都是柞蚕，棕色为桑蚕，后者营养价值要高些，我挑的时候会先翻动一下，我会选择比较活跃的，另外看它的条理之间不要有污，或表皮没有黑斑，及其是否饱满。煮熟后看里面有没有变色，新鲜的里面是奶白色，没有一点黑色，有黑色的就不要吃了，恐怕中毒。

**食材：** 活蚕蛹500g

**调味品：** 精盐1茶匙、大葱白5块、色拉油1/3杯

**做菜顺序：**

① 先将蚕蛹洗净，放进凉水中加热，水开后1分钟捞出滤去水分。

② 炒勺里加色拉油、大葱白加热，待大葱白起糊边时关火。去大葱白取炸好的葱油备用。

③ 把蚕蛹、精盐、葱油混合放在一起，拌合均匀。

④ 这样一道鲜嫩无比、葱香四溢美味佳肴就可以上桌了。

**举一反三：**

蚕蛹也可以用炸、炒、干煸等烹调方法。

## 第11道 清蒸娃娃菜

### 吕老师叮咛

① 调味品还可以换成"蒸鱼豉油"（超市可以买到）。这样就更简单了。

② 娃娃菜也可以用水煮熟。这样可以节省时间，大约水开后1分钟就行（我在家就是这么做）。

**食材：** 娃娃菜3棵

**调味品：** 鲜味酱油1/4杯、白醋3茶匙、白糖1茶匙、味精1茶匙、色拉油1/4杯、大葱白3块

### 做菜顺序：

① 现将娃娃菜洗干净，十字花刀从头切开，然后码在容器里，上面撒上1块葱白，也可以再放一些辣椒。

② 将水倒在娃娃菜上，盖上盖，上锅蒸大概15分钟。蒸好后取出盘子滤去娃娃菜的水分。

③ 炒勺里加色拉油、大葱白加热，待大葱白起糊边时关火。捡去大葱白，把炸好的葱油与鲜味酱油1/4杯、白醋3茶匙、白糖1茶匙、味精1茶匙混合，一起浇在娃娃菜四周即可。

### 举一反三：

大白菜、菠菜、甘蓝都适合这种方法来烹调。

---

**食材：** 甘蓝1颗

**调味品：** 蒸鱼豉油1/4杯、大葱白1段、色拉油1/4杯

### 做菜顺序：

① 先将甘蓝洗净，去根切细丝。

② 把甘蓝丝放进开水锅里烫透（大约1分钟），然后滤去水分，装在盘子中。上面撒大葱白切的细丝。

③ 再把蒸鱼豉油1/4杯浇在甘蓝丝的四周。

④ 色拉油倒在炒勺里加热，待油冒烟时，把色拉油趁热浇在葱丝上即可。

### 举一反三：

韭菜、菠菜、大白菜等都可以这么做哟!

## 第12道 葱油甘蓝

### 吕老师叮咛

① "蒸鱼豉油"（超市可以买到）。

② 喜欢辣味的人，可以考虑最后放一些辣椒油。

③ 甘蓝焯水的时间不要长，以刚断生、口感脆为好。

第**13**道 家庭简易披萨

### 吕老师叮咛

① 一层一层铺加奶酪是我多次制作披萨总结出来的。这样烤出来的所有食材能够更紧密地结合在一起。

② 奶酪种类很多，用马苏里拉奶酪烤出的披萨饼不但好吃，还能拉出丝哟。

③ 蘑菇很容易出水，不能放太多。其他蔬菜也有很多水分的，要注意减量。还可以加海鲜或其他肉丸子等。

**食材：** 9寸冷冻披萨饼批1张（超市里可以买到）、冷冻虾仁150g、蛤蜊肉5个、白蘑菇100g、小番茄3个、洋葱1个，大蒜头1个

**调味品：** 番茄沙司2茶匙、精盐1茶匙、白胡椒粉1茶匙、甜辣椒酱2茶匙、奶酪100g（奶酪又称芝士）

**做菜顺序：**

① 先将9寸冷冻披萨饼批自然解冻。

② 白蘑菇洗净切片，洋葱切碎，虾肉、蛤蜊肉也分别洗净，同时把奶酪切成丝或者片。

③ 将锅加热，放入切碎的洋葱、大蒜头和白蘑菇稍煎，再倒入虾仁、蛤蜊肉，中火温煎5~8分钟，加精盐和白胡椒粉调味，倒在碗里备用。

④ 把披萨饼批放进烤模中，然后在披萨饼批上刷一层番茄沙司，铺上煎好的洋葱、大蒜头、白蘑菇、虾仁、蛤蜊肉和奶酪片。

⑤ 将烤箱先预热至200℃，然后放入披萨烤约20分钟即可。

**举一反三：**

香肠、培根、青椒等也是做披萨饼常用的食材哟!

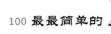

# 第14道 椒盐玉米粒

**吕老师叮咛**

① 玉米粒裹上的玉米淀粉一定要均匀而且要非常的薄。这是成功的关键哟!

② 反复炸两次的过程，是为了增添脆皮的口感。

**食材：** 甜玉米粒400g、青、红辣椒各0.5个

**调味品：** 辣椒盐2茶匙、玉米淀粉1/3杯、色拉油适量

**做菜顺序：**

① 首先将玉米粒煮熟，并沥干水分。再把青、红辣椒分别洗净切高粱米粒大小。

② 用面粉玉米淀粉给玉米粒"穿衣"，将煮熟并沥干水分的玉米粒均匀的裹上一层玉米淀粉。

③ 锅里加入色拉油烧热，待色拉油略微冒烟时倒入穿好衣的玉米粒，炸到玉米粒略微变色时捞起。待一会儿，再倒入锅，进行复炸。然后捞出玉米粒，控净油。

④ 锅中留底油少许，倒入青、红辣椒粒、炸好的玉米，最后撒上辣椒盐，快速翻炒均匀即可。

**举一反三：**

沙丁鱼、三文鱼、还有很多菌类等都是制作椒盐菜肴常用的食材。

第 **15** 道 椒盐沙丁鱼

**吕老师叮咛**

① 拍粉不宜太多，注意油温，成品要外娇里嫩，这样才能口味鲜香哟！

② 新鲜的沙丁鱼头尾完整、鱼眼睛明亮，肉质有弹性。

③ 炒沙丁鱼的底油里如果加3克的黄油，菜肴成品的香味能够增加很多。

**食材：**沙丁鱼500g、青、红辣椒各0.5个

**调味品：**精盐1茶匙、辣椒盐2茶匙、玉米淀粉1/3杯、色拉油适量

**做菜顺序：**

① 先将沙丁鱼处理干净，再用精盐腌制10分钟。把青、红辣椒分别洗净切高粱米粒大小。

② 用玉米淀粉给玉米粒"穿衣"，将腌好后的沙丁鱼表面均匀裹上一层玉米淀粉。

③ 锅里加入色拉油烧热，待色拉油略微冒烟时倒入沙丁鱼，待沙丁鱼炸至金黄色时捞出控净油。

④ 锅中留底油少许，倒入青、红辣椒粒、炸好的沙丁鱼，最后撒上辣椒盐。快速翻炒均匀即可。

**举一反三：**

玉米粒、三文鱼、还有很多菌类等都是制作椒盐菜肴常用的食材。

第**16**道 椒盐三文鱼

吕老师叮咛

① 椒盐三文鱼最好选用鱼腩，三文鱼腩含有丰富的不饱和脂肪酸。这样口味才能更加鲜香。

② 炸三文鱼的火候和油的温度是此菜制作成功的关键。

**食材：** 三文鱼500g、青、红辣椒各0.5个

**调味品：** 精盐1茶匙、辣椒盐2茶匙、玉米淀粉1/3杯、色拉油适量

**做菜顺序：**

① 将三文鱼肉洗净，切成1厘米见方的块，用精盐腌5分钟，再拍匀淀粉。

② 再把青、红辣椒分别洗净切高粱米粒大小。

③ 锅里加入色拉油烧热，待色拉油略微冒烟时倒入腌好的三文鱼肉，炸到三文鱼肉金红色时捞出控净油。

④ 锅中留底油少许，倒入青、红辣椒粒、炸好的三文鱼，最后撒上辣椒盐。快速翻炒均匀即可。

**举一反三：**

三文鱼的做法有很多种，煎、烧均可，还可以生吃。

第17道 三文鱼鞑靼

### 吕老师叮咛

① 这是一道法国大餐中常见的餐前菜。口味独特、口感爽滑、香气诱人。

② 从食品安全的角度来说，我建议选择挪威三文鱼烹饪此菜。

**食材**：新鲜三文鱼250g、法式面包3片、蓝莓山药适量、生菜1片、巧克力装饰件

**调味品**：鞑靼少司1小袋（超市可以买到）、精盐1茶匙、胡椒粉1茶匙、白兰地酒2茶匙、橄榄油1/3杯

### 做菜顺序：

① 三文鱼洗净切成3大块，在用精盐1茶匙、胡椒粉1茶匙、白兰地酒2茶匙腌20分钟。

② 煎锅内加橄榄油1/3杯，油热后放入腌好的三文鱼，一面煎上色时在把三文鱼肉翻身煎另一面，待三文鱼达到5分熟时起锅装盘。

③ 另起煎锅把法式面包片煎到表面金黄时摆放在三文鱼肉的一旁。

④ 最后把鞑靼少司涂抹在三文鱼肉表面，生菜、巧克力装饰件点缀即可。

### 举一反三：

用鞑靼少司可以做很多鱼类菜肴。

# 第18道 寿司卷

**吕老师叮咛**

① 没必要用日本米，其实中国好大米就很好了（比如五常大米）。

② 吃的时候的配料有日本泡姜，绿芥末，日本酱油（中国酱油味道有些重，要少放）

**举一反三：**

寿司的做法有几种，常见有饭团式和卷和刺身（也就是大家说得生鱼片，这个东东很讲究刀工，以及鱼的新鲜度。）

**食材：**生三文鱼100g、大米500g、紫菜4张、胡萝卜、日本萝卜、黄瓜各适量

**调味品：**精盐2茶匙、白糖10茶匙、白醋20茶匙

**做菜顺序：**

① 先将大米洗净滤去水分，20分钟后放入电饭锅中并且添加水（米和水的比例大致为1：1），煮成米饭。胡萝卜、日本萝卜、黄瓜分别洗净切条。

② 调和寿司醋。（把盐、糖、醋的比例1：5：10混合后使用，调制时要注意，不可便其沸腾，以免降低醋的酸度）

③ 调和寿司饭。（寿司醋和饭的比例为5碗米饭中加入1碗兑好的寿司醋，搅拌均匀即可，搅拌时最好使用木勺和木制盛器）

④ 把一张紫菜放在寿司席上，由左至右将饭铺好。寿司饭中间放入任何自己喜欢的馅，好吃就行。这次放的是日本萝卜、黄瓜和胡萝卜，之后顺势用竹帘将紫菜卷起。

⑤ 切寿司的时候，在刀上蘸些水，防粘的。一刀落下，可以使切口平整。根据个人喜好和需求，一条寿司可以切成4～8片。

第**19**道 **什锦寿司**

---

📋 **吕老师叮咛**

寿司饭的比例：

① 米和水的比例大致为1：1。

② 盐、糖、醋的比例1：5：10，凉后使用，调制时要注意，不可便其沸腾，以免降低醋的酸度。

③ 醋和饭的比例为5碗寿司饭中加入1碗兑好的寿司醋，搅拌均匀即可，搅拌时最好使用木勺和木制盛器。

---

**食材**：生三文鱼50g、海虾50g、紫菜1张、胡萝卜、日本萝卜、黄瓜各适量、寿司饭500g

**调味品**：寿司醋100g

**做菜顺序**：

① 先将米饭蒸好放入寿司醋，拌匀置凉。三文鱼切片备用。海虾去皮、头、爪。从腹部片开然后在洗净烫熟。胡萝卜、日本萝卜、黄瓜分别洗净切条。

② 把一张紫菜放在寿司席上，由左至右将饭铺好。寿司饭中间放入任何自己喜欢的馅，好吃就行。这次放的是日本萝卜、黄瓜和胡萝卜，之后顺势用竹帘将紫菜卷起。

③ 切寿司的时候，在刀上蘸些水，防粘的。一刀落下，可以使切口平整。根据个人喜好和需求，一条寿司可以切成4～8片。

④ 把拌好的寿司饭捏成到梯形，将三文鱼片、烫熟的虾片覆盖在饭团上。与寿司卷拼在一个盘子里即可食用。

**举一反三**：

寿司有酸、甜、辣、咸等多种风味。因此，吃寿司时应根据寿司的种类来搭配佐料，例如，吃卷寿司时，因卷中有鱼片、鲜虾、肉松、蟹肉等，就需要蘸浓口酱油和适量的绿芥末，而手握寿司最好不要蘸酱油食用，这样才能品尝出它的原味。除了酱油和芥末外，寿司还有更重要的佐料～醋渍姜。它不仅有助于佐味，更对身体健康有着很大的作用。

美味家常菜

第20道

# 酱油炒鸡蛋

## 吕老师叮咛

做过炒鸡蛋的人有很多，但是炒鸡蛋用酱油的人却很少。用酱油炒出的鸡蛋颜色不好看，味道却非常鲜嫩可口。还等什么？马上试一试吧！

**食材：** 鸡蛋6只

**调味品：** 白酒1滴、酱油3茶匙、食盐1/3茶匙、水1茶匙、色拉油1/3杯

**做菜顺序：**

① 先将鸡蛋打入碗里，加入白酒1滴、酱油3茶匙、食盐1/3茶匙、水1茶匙，用筷子打匀。

② 炒锅烧热放油，待油温上升，放入打匀的蛋液，用勺推拌，使蛋液受热均匀，见蛋液下面凝固立即翻面，并迅速用手勺推拌成小块出锅。

**举一反三：**

鸡蛋炒熟后再放酱油也可以（鲜嫩程度下降）。